淡定

内心强大的力量

【美】
戴尔·卡耐基 著
马剑涛 肖文健◎编译

这世上最宝贵的财富不在别处，就在陪伴我们一生的心灵之中。

中国华侨出版社

图书在版编目（CIP）数据

淡定：内心强大的力量 /（美）戴尔·卡耐基（Carnegie，D.）著；马剑涛，肖文键编译. —北京：中国华侨出版社，2012.1
ISBN 978-7-5113-1962-3

I. ①淡… II. ①卡… ②马… ③肖… III. ①个人—修养—通俗读物 IV. ①B825-49

中国版本图书馆CIP数据核字（2011）第249428号

●**淡定：内心强大的力量**

著　　者 /（美）戴尔·卡耐基

编　　译 / 马剑涛　肖文键

责任编辑 / 文　筝

责任校对 / 李江亭

经　　销 / 新华书店

开　　本 / 787×1092毫米　　　1/16　　　印张 / 15.25　　　字数 / 250千

印　　刷 / 北京中振源印务有限公司

版　　次 / 2012年2月第1版　　　2012年2月第1次印刷

书　　号 / ISBN 978-7-5113-1962-3

定　　价 / 32.00元

中国华侨出版社　　北京市朝阳区静安里26号通成达大厦3层　　邮　编：100028

法律顾问：陈鹰律师事务所

编辑部：（010）64443056　传真：（010）64439708

发行部：（010）64443051

网　址：www.oveaschin.com

E-mail：oveaschin@sina.com

前言
Preface

　　淡定，是一种思想境界。中国北宋时期的大学者苏轼对"淡定"的修为极为推崇。一天，他茅塞顿开，悟出"八风吹不动"，非常满意，忙遣书童把字送到江对岸的佛印和尚那里请求指正。佛印看后，在下面写了一个"屁"字。苏轼不由得恼火，过江来评理。佛印一笑，又添几字，成了"一屁过江来"。两者一对比，争强好胜的苏轼这淡定的修为较之佛印就差了一截子。

　　淡定，是一种心态。有一位得道高僧曾讲过这么一个佛家故事。一个老和尚携小和尚游方，途遇一条河，见一女子正想过河，却又不敢过。老和尚便主动背该女子趟过了河，然后放下女子，与小和尚继续赶路。小和尚不禁一路嘀咕："师父怎么了，竟敢背一女子过河？"一路走，一路想，他最后终于忍不住了，说："师父，你犯戒了。怎么背了女人？"老和尚叹道："我早已放下，你却还放不下！"老和尚的从容、沉稳、真实就是淡定，没有太多、太重的思想负担，顺其自然，不欲与之争。

　　淡定，是生活的一种状态。第32届美国总统罗斯福家里被盗，丢失了许多财产。朋友写信安慰他，劝他不要伤心。罗斯

福的回信是这样写的："亲爱的朋友，我很好，心情平静，而且心怀感激。这是因为，第一，贼只是偷走了东西，没有伤害我的生命；第二，偷走的不是全部家产，还留下许多东西；第三，这是最重要的，偷东西的是别人，而不是我。"罗斯福对于生活的时时感恩就是淡定。

淡定是一种理性，一种坚忍，一种气度，一种风范，一种达观的生活态度、一种超然的人生境界。我们每个人都需要这种心态，在生活中才会处之泰然，宠辱不惊，不会太过兴奋而忘乎所以，也不会太过悲伤而痛不欲生。

生活中，我们常常会被环境所影响，会被自己的坏情绪所支配。我们觉得生活得很辛苦，精神也愈发的感觉空虚。因为，我们在不断追求物质利益的同时，忘记了精神上的供给；我们在不断追求"得"的同时，同时也在失去。

我们常常忘记为得到欢呼，却常常为失去和得不到哭泣，甚至常常拿过失惩罚自己，感觉自己很不幸。其实，幸福是一种心情，是一种自我感受到的愉快心情。在这忙碌的世界里，生活的焦虑、工作的压力、家庭的担忧常常让我们变得苦恼与烦躁。欲望无止境，欲壑终难填，一味追名逐利之人是难得拥有幸福的。何不淡定处之，静下心来，珍惜现在的拥有，也许另一种幸福感便会油然而生。

认识你自己，发掘你不曾利用的潜能，是我出版这本书的唯一目的。它将教会你学习如何应对复杂多变的生活、控制起伏不定的情绪，使你的生活走向平坦，使你的关系顺畅、疏通，于纷扰之世如沐霖露，在繁杂的社会环境中历练一股强大的内心力量，做一个淡定的强者！

目 录 CONTENTS

一　不生气，不为外物扰乱心情

二　不烦躁，培养良好的习惯

三 不抱怨，不为无益的举动消耗能量

四 不烦恼，经历风雨才能见彩虹

五 不气馁，人生就是永不放弃

不冲动，为激情穿上理智的外衣

不悲观，上帝从未抛弃我们

八　不自私，分享才是最大的愉悦

不生气，不为外物扰乱心情

——修炼淡定平和的境界

《生活》杂志上说："愤怒不止的话，长期性的高血压和心脏病就会随之而来。"健康的心理，能够帮你减少烦恼，走出忧虑，克服自卑，增强自信，获得更大的成功。我们应该学会用自己的双手去处理烦人的日常事务，而不让愤怒影响我们的肝、肺、大脑，以至影响身心健康。莎士比亚说："不要因为你的敌人而燃起一把怒火，热得烧伤你自己。"即使我们不能爱我们的仇人，但是至少要爱我们自己。我们要使仇人不能控制我们的快乐、我们的健康和我们的外表。

好心情是健康的灵药

去年秋天，我的助手飞往波士顿参加了全世界最非同寻常的一次医学课程。之所以称这是医学课程，是因为这个课程每周举行一次，参加者进场前要接受定期和彻底的身体检查。实际上，这个课程更像一种心理学临床实验，虽然它有一个心理学名称，即"应用心理学"（以前叫"思想控制课程"）。这个课程的真正目的是治疗那些因忧虑而患病的人。实际上，来这里的病人大多数是饱受精神困扰的家庭主妇。

也许你要奇怪，这种专门针对忧虑患者的课程是怎么开始运作的呢？早在1930年，威廉·奥斯勒爵士的学生约瑟夫·普雷特博士就注意到，很多来波士顿求医的病人，生理上并没有丝毫的病症，但他们心理上却认为自己就是患了某种疾病。

普雷特举了个例子。一个女人的两只手因患了关节炎不能活动，另外一个女人因为患了胃癌而感到痛苦，其他的人分别有背痛的、头痛的，或者常年感到疲倦或疼痛的。她们的确实实在在感受到了病痛的折磨，但是，即使做最彻底的医学检查，也发现不了她们生理上有什么病症。

绝大部分经验丰富的老医生都认为，这完全是她们的心理作用使然，即"病痛只存在于她们的脑子里"。

普雷特博士知道，要想让她们单纯地忘记疼痛这件事本身，是不可能的。当然，大多人都不希望自己得病，要是病痛的折磨很容易忘记的话，人们早就这样靠忘记来麻痹自己了。怎样才能治疗这种"存在于她们的脑子里"的疾病呢？

"把心灵深处的话都说出来"，就是波士顿医院医学课程中最主要的治疗方法。举例来说，下面这些就是我们在这个医学课程里学到的一些概念，可以有效地治疗那些病痛。这些事情都是我们自己完全可以在家里进行的。把心灵深处的话都说出来，就相当于为自己的"心病"打了一针强心剂。

首先，建议你准备一个本子，你可以在上面记上自己喜欢或能振奋自己精神的诗歌或名人名言。当你感到沮丧或精神颓废时，翻翻这个本子，也许心情会好一些。波士顿很多病人都是靠这种方法来缓解自己的心情的，她们说，这个本子就相当于"强心剂"。

其次，不要在乎别人的缺点。也许你的丈夫身上的确有很多你不能容忍的地方。但试想，假如他是圣人的话，他还会娶你吗？这个医学课程里曾有一位女患者，她发现自己变得挑剔、苛刻，以至于经常拉长着脸，十分令人生厌。于是就有人问她："假如你丈夫现在死了，接下来你会怎样呢？"她吃了一惊，这才意识到自己的不足，赶紧安静地坐下来，客观地把丈夫的优点一一列举出来，结果发现丈有很多可列举的优点，以至于这张单子写了很长。所以，要是你再觉得自己嫁错的话，不妨像这位女士一样，将自己丈夫的长处都列出来看看。也许，总结他的优点，你会发现他正是你期盼想嫁的那个人。

最后，对自己的邻居及生活在同一条街上的人保持一种健康友善的兴趣。有一患者曾经很孤独，她甚至觉得自己处于一种被孤立的状态，连一个朋友也没有。有人就对她说，你不妨试试这个方法，将下一个将要碰到的人当成故事里的主角，然后自己编一个故事。于是，她尝试在公共汽车上为她所看到的人编故事，设想每个人的背景和生活，试着想象他的生活状况。后来，一碰到人，她就开始主动与人聊天。现在，她的生活观已经很积极了，她也成为一个令人喜欢的人，她那曾经的孤立症也消失了。

原谅别人就是爱自己

可能我们还达不到圣人的高度，无法去爱我们的仇敌，但为了自己的健康和快乐，至少我们要原谅他，忘记他，这才是最明智的做法。

我曾问艾森豪威尔将军的儿子约翰："艾森豪威尔将军是否会对人耿耿于怀？"他回答说："根本不会，他从来不浪费一分钟想他不喜欢的人。"

俗话说，不能生气的人是蠢货，不去生气的人是智者。这正是前纽约州长威廉·盖诺的人生观。他曾被一份内幕小报攻击得体无完肤，也曾被一个疯子打中几乎送命。躺在医院里为生命挣扎的时候，他说："我每天晚上都原谅所有的人和事。"他这样说是否太具有理想主义了？那么让我们看看伟大的悲观主义哲学家叔本华的理论。在叔本华看来，生命只是一项毫无意义又令人痛苦的冒险，人的全身都是痛苦的。但是，在绝望的深处，叔本华却认为："要是可能的话，无论发生任何事，都不要怨恨任何人。我曾问过做过威尔逊、哈丁、柯立芝、胡佛、罗斯福和杜鲁门6位总统顾问的伯纳·巴鲁，你会不会因为仇敌的攻击而难过。他回答说'谁也不能羞辱我和干扰我的思想，我绝对不允许这样的事情发生'。"

同样，任何人也不能够羞辱或困惑你我，除非你愿意让别人这么做。

"棍棒和石头或许会打断我的脊骨，但言语却永远也伤害不到我。"站在加拿大杰斯帕国家公园，仰望那座以伊笛丝·卡薇尔命名的美丽山

峰，这个被德军枪决的护士，曾于1915年10月12日像圣人一样慷慨赴死。她的"罪行"就是在比利时的家中收容和照顾了很多受伤的法国、英国士兵，然后协助他们逃到荷兰。执行枪决的那天，英国教士走进她的牢房为她做临终祷告时，她说了这句不朽的话："我认为，爱国是不够的，我不会对任何人有怨恨和敌意。"这些话后来被镌刻在纪念碑上。

4年后，伊笛丝·卡薇尔的遗体被送到英国，英国人为她在西敏寺大教堂举行了安葬大典。我曾在伦敦住了一年，常常到国立肖像画廊对面看她的雕像，有幸朗读到她那不朽的名言。

忘记伤害过自己的人的有效方法，就是让自己做一些超出自己能力的理想中的事情。这样的话，曾经的侮辱和敌意就显得无关紧要了，因为我们没有时间计较理想之外的事情。举个例子可以说明。

1918年，密西西比州松树林里曾发生一件可怕的事情，差点引发了一场火刑，黑人讲师劳伦斯·琼斯差点被烧死。几年前我到劳伦斯·琼斯创建的一所学校发表了一次演说，有幸听到这个故事。

"一战"时候的人比较冲动。密西西比州中部盛传着这样的谣言：德国人正唆使黑人起来叛变。劳伦斯·琼斯被人控告，说他激起族人的叛变。有白人在教堂外面听他讲道，他大声说："生命就是一场搏斗，每个黑人都应穿上盔甲战斗，为了更好的生存和发展。"

"战斗""盔甲"就是铁证。一些年轻人趁着黑夜纠集了一大群人，然后到教堂捆住了这位教士，把他拖到一英里外的荒野里，吊在一大堆干柴上面，最后点燃了干柴。眼看就要烧死他了，一个年轻人说话了："烧死他之前，让这个好说话的人说说话。"

站在柴堆上，脖子上套着绳圈，劳伦斯·琼斯为自己的生命和理想发表了一番演说。他1907年毕业于爱荷华大学，因心地善良、博学多才及在音乐方面的天赋赢得老师和同学的喜爱。毕业后他谢绝了一家酒店的职位，还谢绝了别人资助他到音乐学院深造的美意。他有更崇高的理想。他读完布克尔·华盛顿的传记时，就决心把自己的一生都奉献给教育事业，教育那些因贫困而无法上学的黑人孩子。他就这样回到了贫瘠的南方，密西西比州杰克镇以南25英里的一个小地方，用自己的手表当了6毛5分钱，以苍天为教室，以树桩为桌子，开始了他的教学生涯。

劳伦斯·琼斯将自己的经历讲给那些愤怒的纵火者，他说自己所做的一切就是为了教育没钱上学的男孩和女孩，把他们训练成优秀的农夫、机匠、厨子、家庭主妇。他还说，曾有许多白人协助他建立学校，比如说送他土地、木材、牛和钱。

事后，人们问劳伦斯·琼斯对那些想吊死和烧死他的人是否怨恨。他的回答让我们敬佩，他说："我太忙了，很多理想等着我去实现，根本没有空余时间怨恨别人。"他所有的心思，都花在那项超出他能力的伟大事业上了。"我根本没时间跟人吵架，也没有时间后悔。谁也不能强迫我低下到怨恨他的地步。"

事发当时，琼斯用很诚恳的态度讲述这些事，着实令人感动。自始至终，他没哀求一声，只是想让别人了解他的想法。那些想烧死他的人也为之动容。人群中有个曾参加过南北战争的老兵说："我相信他所说的话，他提起的一些白人有我认得的。他确实是在做好事，是我们错了。我们应该帮他而不是烧死他。"老兵说完摘下自己的帽子，帽子在大家手中传递，这些曾经想烧死这个教育家的人，捐献出了52元4毛钱，都交给了琼斯。

早在1900年前，依匹克特修斯就说过，种因得果，命运都会让我们为自己的过错付出代价。"谁都要为自己的果实付出代价。知道这个道理的人就不会跟人生气，跟人吵架，更不会辱骂别人，斥责别人，触犯别人，怨恨别人。"

美国的历史上，还从来没有谁比林肯受到的责难、怨恨和陷害更多。但根据我们手中的资料，从来没听说林肯因自己的喜好来批判他人。要是有什么需要完成的任务，他想到的是对手，因为他能跟自己做得一样好。他还知人善用，哪怕是羞辱过他的人，只要有适合对方的职位，林肯一样会不计前嫌任用对方，就像委任自己的朋友一样。他也从来没因为谁是自己的仇敌或谁是自己不喜欢的人而解雇他。实际上，许多被他扶上高位的人都曾批评或羞辱过他，比如说麦克里兰、爱德华·史丹顿和蔡斯……林肯相信："没有谁因为他做了什么而受到歌颂，也没有谁因为做过什么受到罢免。因为是外界环境、教育素养和生活习惯或者遗传使他成为现在的样子，将来他也是这样子的。"

小时候全家聚在一起祷告时，家人都会从《圣经》里挑出一章一句来诵读，然后全家一起跪下来念。现在我仿佛仍然能听到，在我老家密苏里州一栋孤寂的农庄里，父亲诵读基督的箴言，那些有关只要人有理想就不停诵读的话："爱你们的仇敌，善待敌对自己的人，祝福诅咒你的，为凌辱你的人祷告。"父亲是这么做的，这让他的内心有着君王和将官也无法得到的平静。

要是你想有一个平安快乐的心情，那就记住这条原则：

永远不要试图报复仇人，否则我们就会让自己受到极大的伤害。我们要学习艾森豪威尔将军，不浪费一分钟时间想那些我们不喜欢的人。

怨恨别人就是伤害自己

几年前的一个晚上，我旅行时经过黄石国家公园。骑着大马的森林管理员给我们讲了一个有关熊的故事，我们都很兴奋。他说："有一种大灰熊很厉害，它能击倒除了水牛和另一种黑熊以外的其他所有动物。一天晚上我却发现，有一只小动物能与大灰熊相安无事地在灯光下共食。这是一只臭鼬。大灰熊完全可以一掌打昏它，但却没这样做。因为根据它的经验，这是很不划算的。"

我也知道这个道理。小时候我曾在密苏里的农庄上抓过四只脚的臭鼬，长大后我也经常在纽约街头看见像臭鼬一样的长着两只脚的人。经验告诉我，无论招惹哪种臭鼬，都是很不划算的。

恨仇敌的时候，实际上相当于已经送给他力量了。这种力量能影响到我们的睡眠、胃口、血压、健康、快乐等。要是他知道他让我们担忧、烦恼的话，他一定会很高兴的。我们心中的怨恨不但没有伤害他，反而让我们自己活在地狱中。

"自私的人想占你便宜，不要理会他，更不要试图报复。要是你跟他一样了，反而害了自己，比他受的伤害更大……"这听起来像伟大的哲人说的话吧，其实不是，这句话最初出自米尔瓦基警察局发出的通告。

根据《生活》杂志的一篇文章，报复心是这样伤害人的：损害人体健康，比如说高血压病。高血压患者的主要特征就是愤怒，经常性的愤怒，高血压和心脏病自然就来了。

耶稣说"爱你的仇人"，现在你应该知道为什么了，这不仅是出于道德上的规诫，也是宣扬一种医学原理。当他告诉我们说"原谅70个7次"时，他实际上还在告诉我们怎样避免高血压、心脏病、胃溃疡和其他种种疾病。

曾有一朋友心脏病突发住院，医生告诫他躺在床上不要动气，无论发生什么事都不要。稍有医学常识的人都知道，心脏不好的人发脾气会让病情更糟糕，甚至有可能送命。华盛顿州的史泼坎城一家饭馆老板就因生气过度而猝死，这是当地警察局局长杰瑞·史瓦脱写信告诉我的，信上说："68岁的威廉·传坎伯是一家小餐馆的老板，因不满于厨师用茶碟喝咖啡，抓起一把左轮枪就去追人家，结果心脏病突然发作就倒地死了，手里还拽着那把枪。验尸官的检查报告是这样说的：'因愤怒引起心脏病发作死亡。'"

经常会有这样一种女人，她们脸上的皱纹是因过多的怨恨长出来的，

有时还表现为表情僵硬，这种情况无论采用怎样的美容方法，都不如让宽容、温柔、爱再回到她们心中有效。

如果仇敌们知道怨恨让我们身心疲惫，让我们紧张不安，让我们的外表不再美丽，让我们得心脏病甚至毙命，肯定会额手称庆的。

即使我们无法爱我们的仇敌，至少我们应该爱自己，不能让仇敌控制我们的快乐、健康和外表。正如莎士比亚所说："不要因你的敌人而燃起一把怒火，最终却烧伤了你自己。"

把自己放低才能做得更好

新泽西州的亚伯特讲述了自己在圣地亚哥一艘驱逐舰上担任轮机长时，对人生新的认识和感受的经历。

亚伯特先生说："或许是海军的一贯传统，他们竟然把我这个愚笨的会计师调去负责舰上那些锅炉室、轮机室和其他所有机械及设备的工作。

"要知道我一辈子也没去过轮机室几次，上舰前的一个月我一直是提心吊胆的，上舰后几个星期的时间里我也依然不适应。后来证明，我这些担忧简直就是多余的，机械设备一切运转正常，世上没有解决不了的困难。

"我们在舰上干了大概一个月的活儿后，都获得了三天的周末休假。在向手下的人宣布这个好消息时，我告诉他们，能获得这个特别假期全是由于他们在过去一个月里的优良表现。所有人都尽职尽责，我们的轮机部门变得无比坚强，这是我们共同努力的结果。

"当时讲这话时，我并没有想过其中蕴含着什么含义，几天后，我才顿悟到，这其实正是一个事实啊！大家表现优异，各尽其责，并且做好了我一度没有把握的事。

"我原本认为是自己一人承担了全部责任呢！现在却明白，我们完全没有必要去担心整艘舰船会因为我们而被炸毁，更不用担心我们或许不能按时完成任务。我知道我们并不是孤立无援的，我们身边总是有很多好心人，在我们需要帮助的时候给我们伸来援助之手，一如我们帮助他人一样。"

是啊，这个世界上到处都有好人。当然，在人生中我们也不免会遇到骗子、恶棍、盗贼、流氓等。可是我们要知道，当然只有一个人相当成熟后他才会顿悟到，偶尔遇到一两个坏人并不表明全世界都是坏人，正如有燕子飞来并不表明春天已经来临一样。

他人的行为和态度时常会对我们造成影响，这使得我们变得愤世嫉俗，武断地认为"这世上就是没有好人"。

几年前，我来纽约开展一项新事业，就曾有过一次痛苦的经历并为之付出了昂贵的代价：数百万美元被我赔光了。很长一段时间我都气愤难耐，当然对此我也无可奈何。于是，我就开始相信一些肮脏的商业伦理故事，开始相信自己是中了奸商的计，白白地成了商业欺诈行为的牺牲品。

直到后来，我才慢慢想通了，要是当时我稍微有点头脑的话，就不会出现那样的结局了。这一切只是我个人的愚蠢造成的，要怪也只能怪自己，跟别人没有什么干系。

当然，相信我们是因他人的恶行而受害，要比承认失败是由于自己愚蠢造成的相对容易得多。"我是个傻瓜"被世人认为是最难说出口的一句话。可是，如果我们想成熟，想摆脱感情上的婴儿期，那么我们一定要勇敢地说出这句话来。

不为已经发生的浪费精力

使我们快乐或不快乐的，并不是环境本身，而是我们对环境的适应能力，是我们自己的感受。

不得已的时候，我们都不得不忍受各种灾难和不幸，甚至要战胜这些恶魔。也许有时候力不从心，但实际上，我们精神的力量是无比巨大的，只要我们善于利用，这些力量就能帮我们顶住任何灾难。

布斯·塔金顿说："无论命运为我安排了什么，我都能接受，但除了失明，这是我怎样也受不了的。"但命运是无情的，这种不幸偏偏就降临在这个已经六十多岁的老人身上。他低头看自己的地毯，看见的是一片模糊，连花纹也看不清是什么样子的。他找到眼科专家，证实了这个不幸：视力确实在减退，有一只眼睛几乎已经瞎了，另外一只也在恶化。他最不能接受的事实还是发生了。

对于这个"怎样也接受不了的"不幸，布斯·塔金顿能做些什么呢？你是否以为，他会觉得："好了，这一辈子就这样了，我就这样完了。"没有，不是的，连他本人也没想到，他依然过得十分开心，甚至还能幽默一把。以前，眼前浮动的"黑斑"令他忧虑，可现在，即使最大的黑斑从他眼前晃过，他也只是说："哈！老黑斑爷爷又来了。今天天气不错，它想去哪里呢？"

两只眼睛完全失明后，布斯·塔金顿说："我发现自己完全能够忍受没有视力的情况，就像承受别的任何事情一样。所以，即使我的其他感觉器官也不能用了，我相自己还是能好好继续我的思想。只要我的思想还能够

'看'，我还是一样能很好地生活的。"

为了恢复视力，他请眼科医生在一年内作了12次眼科手术。他并没有害怕，因为这都是必不可少的，他没法躲避，唯一能减轻痛苦的方法就是勇敢地接受。他不愿意住进医院里的私人病房，而是选择条件差一些的大病房，跟所有的病人在一起，他试着让其他的病人也开心。实际上，在接受手术的日子里，每一次他都知道医生在自己的眼睛里做了什么。他总是尽力想象自己是幸运的："这是多么好的一件事啊！现在的科学这么发达，竟然可以在眼睛这么纤细的地方动手术。"

普通的人，要是也和他一样经历这12次甚至更多的手术并且长期生活在黑暗的世界里，恐怕早已经崩溃了。布斯·塔金顿却说："我不会用我这样的经历来换其他开心的事。"正是这样的经历，让他学会了怎样接受不幸，让他明白，生命所带给他的任何事，不管是有益的，还是有害的，他能都接受下来。这样的经历也使得他更深刻地明白了富尔顿的话："失明并不是一件令人难过的事，令人难过的是你不能接受失明。"

如果，我们被这些不幸打垮，为已经发生的事情而难过或者因此而害怕，还是无法改变那些无可避免的事实。虽然如此，但起码我们还可以改变自己，让自己适应这些灾难。

无法改变的就学会接受

对那些无法避免的事，如杨柳经受风雨的洗礼、水接受容器等，我们要有接受这些事实的能力，勇敢接受这些必然的事。

小的时候，我曾跟小伙伴们到北密苏里州一栋荒废的老木屋的阁楼上

做游戏。从阁楼上下来的时候，我在窗栏上站了一会儿，然后往下跳。由于我左手的食指上带了戒指，当我跳下去的时候，一颗铁钉绊住了它，结果我的那根手指就拉断了。

当时我吓死了，马上叫了起来，想着我可能会死。可是，等我的手好了之后，我再也不为这事难过。难过还能解决什么呢？我只能接受这个已经发生的事实。

几年前，我在纽约市中心一家办公大楼中看到一个开运货电梯的人，他整个左手都没有了。我问他是否会为缺了一只手而烦恼，他回答说："不会的，我根本就没意识到它，除非我穿针的时候注意到这件事。"

事实上，一般我们都能接受任何糟糕的情况，然后让自己适应这个事实，或者根本就不去考虑这件事。荷兰的首都阿姆斯特丹有一座建于15世纪的老教堂，在废墟上有这样一行字："事实就是这样，不是别的样子。"我经常想起这句话。

历史发展到今天，谁都难免遇到不如意的事情。如果它们已经是这个样子了，就不再是别的样子了。即便如此，我们仍然有选择的机会：完全把这些不幸当作无法避免的事实接受，并逐渐适应；或者让忧虑使我们精神崩溃，摧毁我们的人生？哲学家威廉·詹姆斯曾给人们这样的忠告，我非常喜欢，那就是："快乐地接受事实就是这样。能够接受发生的任何事，就是克服下一步不幸的第一步。"

俄勒冈州波特兰的伊丽莎白·康丽现在就明白这个道理，她也是在经历过很多不幸之后才慢慢领悟到的。她在给我的一封信中讲了她自己的遭遇："美国庆祝陆军在北非获胜的那一天，我接到了国防部的一封电报，上面告诉我说，我最爱的人——我的侄儿在战场上失踪了。过了不久国防部又送来一封电报说，我那亲爱的侄儿已经死了。

"对这样的结果我真是悲伤极了。在此之前，我一直认为上帝是眷顾我的，一份理想的工作，一个美好的理想，即把我的侄儿养大成人。在我看来，我的侄儿是所有美好年轻人的化身，我所有一切的努力，都是值得的。但是就是这两封电报，摧毁了我对生活的希望，我觉得生活再也没有目标，我活下去还有什么意思呢？于是我对工作也不那么上心了，朋友也不怎么来往了。既然所有的一切对我来说已经没有意义，我还能怎样呢？我抛开了这一切，变得冷漠，整天生活在怨恨之中。为什么我最爱的侄儿会死？为什么这么好的年轻人还没开始自己的美好人生就让他死在战场上呢？我没法接受他已经离开我的现实，我悲伤得无以复加。我决定放弃所有的一切，包括我的家乡、我那理想的工作，让自己就沉浸在泪水和懊悔中。

"我开始清理我的东西，作好辞职的准备。这时候我发现了一封很久以前的信，我几乎已经忘记了。这是我侄儿以前写给我的信。那是几年前我妈妈去世的时候他写给我的，信上说'我们当然都会想念她，我知道你会更思念她的。但我相信你一定都能挺过去，你是这么一个坚强的人。以你对人生的理解，我相信你一定等够接受这些的。我永远记得你是怎样教导我的，无论何处，无论我们离得有多远，我永远记得你教我要学会微笑，像个男子汉一样，勇敢地接受任何已经发生的事'。

"我反复翻阅侄子给我的信，我觉得他并没有离去，仿佛正在我的身边跟我说话。他好像说'你为什么不用那些你教给我的方法呢？坚强地挺过去，无论发生了什么不幸，用微笑来掩盖那些悲伤，继续生活下去'。

"我于是又开始回去工作，不再对人冷漠无礼，努力让生活恢复到以前的样子。我对自己说'事情都已经过去了，我不能再改变什么了，但至少我还能像我侄子希望的那样生活下去'。我把自己的心思和精力都用在了工作上。还给前方的士兵——别人的儿子写信。晚上，我参加成人教育班，努力学习新东西，发现新乐趣，结交新朋友。要是没看到这封信，我都没想过自己还能发生这些新的变化。我不再为已经永远过去的事情悲伤难过，现在我的生活依然充满了欢笑，就像我侄子所希望的那样。"

伊丽莎白·康丽明白了我们人生早晚要知道的道理，即对那些已经发生过的无可奈何的事情必须努力地接受和适应。这个道理不是每个人都能轻易学会的，甚至那些日理万机的国家领导，也必须不得不常常提醒自己要接受已经发生的事实。

乔治五世就曾在白金汉宫的宫殿墙上留下这样的话："我不会为月亮的消失而哭泣，也不会为做过的事懊悔。"叔本华也讲过同样的话："有接受的能力，才是人生旅途上最重要的事情。"

不烦躁，培养良好的习惯

—— 扫去心灵的浮尘

当大难临头时，我不会一味地劝你要乖乖地承受，因为人生并非命定，你要在可以期望的范围之内起来奋斗。当你受到打击无所适从时，你要保留健全的精神，不要烦躁，也不要做无望的期待。人的行为总是一再重复。因此卓越不是单一的举动，而是习惯。一个好的习惯，常常就能够改变一个人的一生。哪怕这个习惯是那样的微不足道。

心情和工作效率成正比

　　打字员爱丽丝小姐，下班回家后，总是一副筋疲力尽的样子。事实上，她也确实感到疲劳和头痛，有时候还背痛。她疲倦得饭都顾不上吃了，只想赶紧上床睡觉。但由于妈妈的再三要求，爱丽丝才勉强坐在餐桌面前。这时候，电话铃突然响了，原来是爱丽丝的男朋友请她出去跳舞。爱丽丝的眼睛马上散发出一种异样的光彩，她好像注入了兴奋剂，突然兴奋起来。只见她飞快冲上楼，穿上那件天蓝色的时装，兴致勃勃地赴约了。他们一直跳到凌晨3点钟。爱丽丝回到家的时候，一点也不感到疲倦，想起舞会上的种种，甚至还兴奋地睡不着觉呢！

　　在8个小时以前爱丽丝刚下班的时候，不论是看她的外表，还是看她那迟缓的动作，都显得疲惫不已，她真的有这么劳累吗？事实上是的，因为她那烦闷的工作，让她整天觉得身心疲惫，甚至连生活在她眼里也是烦闷的。社会上有很多爱丽丝这样的人，因为工作的原因导致疲倦。也许你的工作也会让你这样。

　　心理因素对一个人的影响，一般都比肉体上的劳累更容易让人产生疲劳，这已经是大家有目共睹的事实了。几年前，约瑟夫·巴马克博士在《心理学学报》上发表过一篇报告，谈到了这样一些试验，证明烦闷会导

致人的疲劳。他让一群学生作了一连串的试验，这些试验都是他们所不感兴趣的。结果，所有的学生都感到疲倦，表现为打瞌睡、头痛、眼睛疲劳、很容易发脾气，有几个人甚至感到胃不舒服。这些不适的感觉是否都是想象出来的呢？当然不是。因为这些学生都作过新陈代谢的试验，结果表明，当一个人感到烦闷的时候，身体的血压和氧化作用实际上真的会减低；相反，如果他觉得正在进行的是一项有趣的事情时，身体的新陈代谢就会加速。

确实，当我们做那些自己感兴趣甚至令人兴奋的事情时，很少会感到疲倦。举个例子来说。最近我一直都在加拿大洛基山的路易斯湖畔度假，接连几天都在钓鲑鱼。事实上，除了钓鱼，我还要穿过长得比我还高的树丛，跨过很多横躺在地上的树枝，爬过许多倒在地上的老树，经过长达8小时的披荆斩棘我才能到达目的地。即便如此，我依然兴趣盎然，丝毫不觉得劳累，相反有一种成就感，因为我钓了6条很大的鲑鱼。但是，要是我本人不喜欢钓鱼的话，你觉得我会怎样呢？在海拔7000英尺高的山上来来回回地奔波，我肯定会累垮的。

所以，即便是登山这样的消耗体力的活动，跟烦闷相比，它产生的疲劳感也小得多。明尼苏达州那不勒斯农丁储蓄银行总裁金曼先生曾给我讲了他的故事，正好可以证实这个道理。

1943年的7月，加拿大阿尔卑斯登山俱乐部响应加拿大政府的号召，协助威尔斯军团作登山训练，金曼先生就被选出来为那些士兵训练。这样，他就不得不和其他42~45岁不等的教练一起训练那些年轻的士兵。大家长途跋涉，穿过很多的冰河和雪地，再用绳索和一些简单的登山设备爬上40英尺高的悬崖，还在加拿大洛基山的小月河山谷里爬上米高峰、副总统峰和很多其他没有名字的山峰。长达15小时的登山活动把这些身强力壮的年轻人都累趴下了。

他们之所以会疲劳，并不是因为他们的肌肉没有训练结实，任何一个受过严格军事训练的人都知道不会发生这种情况的。那他们为什么还会感到疲倦呢？这是因为，这些年轻人对登山这项活动本身感到厌倦，以至于很多人不等吃饭就疲倦得睡着了。可那些比这些身强力壮的年轻士兵们年纪大两三倍的人是不是也这样疲倦呢？当然，他们也会感到疲倦，但还不至于筋疲力尽。他们吃过饭后，还能坐下来聊几个小时，谈谈他们这一天经历的事情、感受、收获。之所以他们没有疲倦到筋疲力尽的地步，就是因为他们对这件事本事感兴趣。

哥伦比亚大学的爱德华·戴克博士曾做过类似这样跟疲劳有关的试验，得出的结论是："心情烦闷是导致工作能量降低的唯一真正原因。"

对于厌烦的，先假装喜欢

如果你是一个脑力劳动者，让你感到疲劳的，通常不是由于你工作超量，而是由于你工作量不够。比如说，上个星期天，不断有人来打扰你，你忙得一封信也没顾上回，跟别人约好的事情一件也没完成，所有问题都等着你解决。这一天所有事情都不对头，你一件事也没做成。回家后，你感到筋疲力尽，头痛欲裂。

周一，你在办公室工作，所有的事情都处理得很好，你所做的事情是周日的40倍，下班回家后，你却依然神采奕奕。你一定有过这样的经历，我也有过。通过这两天的对比，你明白了一个什么道理呢？让我们疲劳的，并不是工作本身，而是我们紧张不堪的恶劣情绪。

我在写这一章的时候，抽空去看了看杰罗米·凯恩主演的音乐喜剧。剧中安迪船长有一段台词说得很有道理："最幸运的人，是那些能做自己喜欢做的事情的人。"之所以说他们是幸运的，是因为他们在做事的时候体

力充沛，精神愉快，自然烦闷和疲劳也比别人少。而且，你的兴趣所在之处，往往也是你能力所及的地方，你做起来更有成就感，忧虑和疲惫也更少。要是你陪着一位一路上唠叨不已的太太走路，哪怕只有几条街，也一定会比陪着你的情人走10分钟感觉要疲劳得多。

你是否对自己的工作感到厌烦？为什么不跟自己来一个"假装"游戏，试着让自己喜欢工作，这样你就能从工作中获得意想不到的成功。该怎样处理这个矛盾？是不是没办法可以解决呢？我们就看看这位打字员小姐是怎么处理自己的事情的。

她在俄克拉荷马州托沙城的一家石油公司工作，每个月有几天都得做一件自认为最枯燥的工作，即填写一份已经印好的有关石油销售的报表，在上面填上各种统计数字即可，虽然简单，却很没意思。为了提高自己的工作效率，这位打字员小姐想出了一个好办法，把这件枯燥的工作变成一件很有趣的事情。让我们来看看她的做法。

她决定，每天跟自己竞赛。早上的时候，她先点出需要填的报表的数量，然后尽量让自己在下午打破这些记录，然后再看看每天填了多少报表，第二天再想办法打破这一天的记录。结果，跟自己的同事相比，她打字的速度快了很多，很快就把这些枯燥的报表填完了。即使她没有得到上司的夸奖和赞美，也没有人感激她，自然也没有升职和加薪，但起码她让自己保持了一种极高的积极性，有助于防止因烦闷带来的工作疲劳。她依然是高兴的，为了把这件没意思的工作做得有声有色，她尽力了。这样一来，节省了更多的体力和精神，她在休息的时候也感到开心。

我再说说另一个打字员小姐的故事，也很有意思。这个故事的主人公是维莉·哥顿。这位打字员小姐发现，"假装"喜欢自己的工作很有意思，自己还从中得到很多意想不到的回报。她以前是不喜欢她的工作的，现在却发生了根本的改变，于是，她欣喜地在信中讲了自己的经历：

"我们办公室里共有4个打字员，每个人的工作都是为几个人打信件，我们时常会因工作量大而忙得找不到北。一天，一个部门的副经理非要让我把一封很长的信重新打一遍，我非常生气。我对他说，这封信只要改一改就可以了，没有必要重打。可他却说，要是我不愿意重新打的话，他就找愿意打的人重打。我当时气得冒火，但还是接过来重打了。重新审视这封信，我发现，很多人可能都会跳起来抓住机会来做我现在做的事情。而且，老板支付给我的薪水也就是要我做好这份工作。这样一想，我心里好受多了。于是，我就下决心，哪怕我不喜欢这份工作，也要假装喜欢它的样子。然后，我就发现，要是我真的'假装'喜欢了我的工作，我就真的喜欢到一定的程度，而且，当我喜欢我的工作时，工作的速度就大大加快了。所以，即使现在我不加班，也能完成工作，这在过去是不可能的。我的这种转变，大家都非常喜欢，一致认为我是一个很好的员工。后来，一个公司的主管需要一位私人秘书，就选择了我。他说，他认为我是一个乐意工作的人，从不会因为一些额外的工作而抱怨。通过这件事，我明白了一个道理，心态决定一切。这对我来说，是一个很重要的发现，它改变了我的生活。"

这里的哥顿小姐，就是运用了汉斯·维辛吉教授的"假装"哲学，他就认为，我们要"假装"很快乐。如果你"假装"对自己的工作发生兴趣，这一点点的假装就慢慢使你的兴趣成真。自然而然，你工作时将不再感到疲劳、紧张和忧虑。

好习惯带来好心情

如果你在办公室也会被坏情绪所困扰，不如看看下面的内容，一定会让你受益的。因为让我们忙得找不着北的，并不是繁重的工作本身，而是

我们没弄清楚自己有多少工作，应该先做什么。

第一种良好的工作习惯：收拾办公桌上所有的纸张，只保留目前你正需要解决的问题。诗人波普曾写过这样一句诗："秩序，是天国的第一条法则。"

做生意也是这样，秩序同样应该是第一条法则。但是，现实生活中很少有人能做到。一般的商人，他们的办公桌上堆满了文件，很多文件也许几周都不会看一眼。一位新奥尔良报纸的发行人就曾对我说，他的秘书帮他清理桌子，结果发现了一台两年都不曾动过的打字机。

仅这一点就足以令人紧张了，想到办公桌上堆满了还没有回的信、报告和备忘录等，总觉得有很多事情还要做，以至于心烦意乱，精神紧张，甚至让人产生"有100万件事情等着我去做，可是现在却没有时间"的感觉，这样一来，忧虑、紧张、焦躁自然接踵而来，严重时甚至会诱发高血压、心脏病和胃溃疡。

第二种良好的工作习惯：根据事情的重要程度来安排事情的先后。

亨瑞·杜哈特是遍及全美劳务公司的创始人，他说，不论自己开出多么高的薪水，都不能找到一个同时具有两种能力的人。

这两种能力分别是：

（1）能思考；

（2）习惯根据事情的重要程度来安排事情的先后。

根据我的经验，一个人不可能总是根据事情的重要程度来决定做事的先后次序。而且我也知道，按计划做事肯定比随兴趣做事要好得多。

第三种良好工作习惯：当你碰到必须当场解决的问题时，就当场解决，不要拖拖拉拉或迟疑不决。

第四种良好的工作习惯：学会组织、分层管理和监督。

工作本身是对身心有益的运动

马克·赫林德和史坦利·弗兰克医生在《健康世界》上介绍过一位住在堪萨斯市的女人，这个女人已经81岁了，她在将一把摇椅退还给女儿的时候附言："我太忙了，没有时间坐摇椅。"这个母亲懂得了要成熟不要变老的方法。她知道工作才是对生活、对健康最有用的东西。

如果你认为幸福就是获得无止境的悠闲，如果你希望退休后可以一直躺在摇椅上，那么你只是进入了愚人的天堂。要知道懒惰是人类最大的敌人，它只会制造悲哀、早衰和死亡。

只要不是过度紧张的工作，适量的工作是不会对人造成伤害的，但过分的安逸却会。辛苦的工作有害健康这个理论现在许多医生都在批判。据我所知道的，英国伯明翰大学医学教授，梅尔维尔·安诺特博士就曾站出来说明，过多的休息会导致身体向有害的变化方向趋近。"但是据研究表明：没有任何工作会对健康的身体组织造成伤害。"他说，"即使是你的工作很辛苦，只要不是很危险，不妨碍睡眠和营养供给……能够有足够的时间用来休息和恢复体力，那么就是无害的。相信我，工作是有益的。"

由此可见，工作是可以对延迟年老造成影响的。欧·弗格特博士——德国脑科研究的权威，在不久前的一次国际老年问题研讨会上提出：脑细胞的剧烈运动可延迟老化的进程。从这个意义上说，过度工作不仅不会对神经细胞有所损害，反而可以延迟其衰老的进程。弗格特博士还公布了他对正常人脑神经细胞所作的显微研究结果，重点观察其随年龄增长而产生

变化的情况。两个脑神经细胞非常活跃的女人分别在90岁和100岁时去世，研究人员发现她们的脑神经细胞老化的情况都相应地延迟。

"并且，"弗格特博士说，"我们对研究对象的观察中，找不到任何因过度工作而加速神经细胞老化的证据。"

是的，辛苦的工作是不会致命的，但是忧虑和高血压却会。那些猝然倒地而亡、罹患各种溃疡症、行色匆匆、肩负重任的工商业主管，他们的致病原因都不是过度工作。他们每天的工作对精力的消耗算不了什么，真正吞噬他们生命力的，是伴随着工作一起到来的紧张的气氛、压力、痛苦的失眠、对竞争失败的畏惧、无休止的焦虑，这些东西不断恶性循环。这样，他们只好借助酒精、安眠药和去高尔夫球场或手球场上疯狂地运动来逃避，最后身体和神经系统只能以死亡或精神崩溃来结束这种折磨。

现在，美国所有医院里，精神方面的病人所占的病床超过一半，这个数目远高于小儿麻痹症、癌症、心脏病和其他所有疾病病人相加的总和。可怕的事实表明，一定是什么地方出了问题，而我知道这个问题原因绝不在于工作的辛苦与否。

美国是世界上生活水平最高的国家。科学上的进步使我们不仅摆脱了祖辈们视为生活必要的一部分辛苦工作，工作环境也有了大大改善，即使技术含量很低的职业也一样。工薪阶层的工作时间缩短，过去由人力或畜力完成的工作也大多被机器取代，我们的休闲时间比以前更多了，所以，我们不能说是工作的辛苦导致我们身处痛苦的境地。

工作是人生必不可少的一部分，它绝不仅仅起着让人维持生计的作用。人不活动，肉体会萎缩，直至死亡，心灵也是这样。工作，并非如古老的信念所言，不是对原罪的惩戒，而是酬劳，是人类征服地球的手段，是统治者身份的象征。我们今天的文明，是人类建设、创造、辛勤劳动的见证，是人类劳动的最重要的表现。如果失去它，甚至国家也会灭亡。

伟大的罗马帝国是由精力充沛的农民、商人、思想家和实践家，通过劳动创造出来的，而一落入腐败、堕落的不劳而获者的手中时，很快便崩塌垮掉了，商业、农业、教育及所有形式的活动瞬间没落。

忙碌是最好的心理医生

如果出于经济因素的考虑被迫忙碌至死，因而把我们的工作视作是一种忍受，就是在剥夺自己享受人类的最大满足的权利。工作成为我们生活中不可或缺的要素，是因为它本身的益处、它的良好效果和治疗作用、它与性格发展的关系，而不是因为经济或什么别的。

仔细分析，我们会发现，所有的工作，最终都是服务。无论烹制食品、清扫地板、装配零件，还是纠正某个舞步，它的最终目的都是要把生活建设得更美好、更方便、更快乐，这个目的多么富有创造性！如果我们欲享受工作的乐趣或从工作中谋利，就应该让这一创造性的目的清晰地呈现在我们心里。

英国著名的电影制作人亚瑟·兰克说："人们经常忘记自己从事的行业，这里存在着最基本的一个问题——'为什么'。比如制椅工厂，它不只是要制造椅子从中获取利润，更要制造人家喜欢坐在上面的椅子。如果椅子制造商忘记了这一点，那么当他有一天醒来就会发现他的椅子，以及椅子能创造的利润全都不见了。"

有的人声称，随着现代工业文明的突飞猛进，工作本身的创造性已经被大大扼杀。在他们看来，工作无非就是机械化的动作，不断地重复，根本不必了解整个过程，这样的工作有什么好得意的呢？他们不明白，当一个人痛苦不堪地在生产装配线上忙碌时，他足以自傲的成就感

又从何而来？

在回答这个问题之前，我想谈一谈我个人的经验。我曾经为一家大公司工作，做统计打字员做了很长时间，那里有许多打字员。我的工作就是打字，在一台有特制长台架的打字机上打无穷无尽的财务报表。每一小时、每一天我都在打，不停地打。精确是第一位的，然后才是速度。说实话，我对这份工作谈不上喜欢，这确实是一份辛苦、单调、乏味的工作。

但是凭良心说，我还是很自豪，因为我能尽力做到完美。虽然这个工作很机械，但也需要高度的技巧。我对自己在工作上达到的高水准感到很满意，尽管我的工作不过是一项大工程中的一个小环节。但它让我体会到精确以及精益求精地做好每一件事的重要性，这对我的成长和个性来说的确益处良多。而且这也验证了契斯特顿所言不虚，他说："摆脱当秘书的命运的最佳方法就是当一个成功的秘书。"

换句话说，工作究竟是令人沮丧的辛苦劳作还是愉悦我们灵魂的乐事，在很大程度上取决于我们内心对待工作的态度。

有的主妇将每天洗碗这样的例行家务看成讨厌而卑贱的奴仆工作。但是，我认识的一个女人却不这样认为，她叫波姬儿·达尔，是一位职业作家，写过一本自传并为很多杂志撰文，她认为这是难得的享受。达尔小姐前半生都是在黑暗中度过的，经过一系列的手术之后，她的视力才得以部分恢复。从那以后，她用坚持每天洗碗的方式，来感谢上帝创造的奇迹。

"我站在厨房的小窗口前可以望见一小片蓝天，"她说，"那些肥皂泛起的七彩泡沫令我百看不厌。没想到失明多年，现在居然还能做家务，还能看到这么多美好的东西，这实在令我从内心感激不已。"不幸的是，我们许多视力正常的人却视而不见。我们不具备达尔小姐所拥有的成熟的想象力，我们不懂得珍惜工作能带给我们的价值。

在精神的治疗上，没什么药品比工作更有效。得州的丽达·琼斯太太说，正是工作把她从精神崩溃的边缘拉了回来。

　　1941年，琼斯夫妇带着他们的两个孩子搬到地处新墨西哥州的一个面积为30英亩的农场里。未曾想那里到处都有响尾蛇的踪迹，就好像全州各地的蛇都聚集到那里去了，那里简直一个可怕的蛇窟。

　　"虽然在我们那里生活很不便，没有水，没有电也没有煤气，但这却并未让我担心。最令我感到恐慌的是每时每刻都要担心家里有人被蛇咬了该怎么办。我总是梦见我抱着孩子从家里跑到镇上去求救。丈夫下田工作时，如果几分钟不见他，我就会陷入恐惧之中。

　　"我不得不无休止地工作，以抵御这种不断袭来的忧虑和恐惧，否则我会精神崩溃。艰苦生活使得我们必然要辛勤工作，而且也正是它救了我。这30英亩地最后全部被我们种上玉米黍种子，我的双手累得起了老茧，但也装制了足够吃上5年的罐头食品；我还得自己动手为孩子做所有的衣服……我每天工作到累得只盼上床睡觉，什么事都顾不过来，哪里还有多余的精力去考虑蛇。

　　"一年的时间过去了，直到我们搬走，也没有谁被蛇咬过。虽然后来我再没机会那么辛苦地工作过，但是我一直感激那一年的辛苦工作。它救了我，使我免于精神崩溃。"

　　单就养成工作的习惯而言，有时候就能使我们脱离一时的消沉、挫折或失望。我们应该像琼斯太太那样，懂得利用辛苦的工作创造力量，渡过危机。辛苦的工作经常成为支撑人们的力量，比如在灾难、遭遇惨剧中或失去所爱的人时。

　　爱德蒙·伯克说过："永远不要陷入绝望。但是如果你产生绝望情绪时，就去工作。"爱德蒙·伯克说这些可不是空口白话，他是有过亲身经历的。他曾经痛失爱子，他经过悉心研究之后，还痛苦地深信文明快要堕落了。就像对其他很多人一样，工作对他而言，成为这个疯狂的世界上唯一清醒的标志。因此即使在绝望之时，他依然不断地工作。

收起脾气才能整理出思路

"应用心理学之父"威廉·詹姆斯教授曾经对学生们说："接受既成事实是克服随之而来的任何不幸的第一步骤，你们要勇于承担这种责任。"

这是当然的，只有按照这样的方法做了，你才能从心理上发挥解决问题的最佳能力。一旦我们作了最坏的打算，还会担心再损失什么呢？一切都可以重新来过。正如维奇·卡贝尔所说："当我让自己接受这些事情之后，我心里马上放松起来，感受到从出事至今未有过的平静，然后我就能正常思考了。"

你也觉得这句话说得很有道理吧？但仍然有些人会让忧虑和愤怒摧毁了现有的生活。这些人的症结所在，就是不敢接受最坏的情况，不愿意跳出来改变现状，更谈不上构造新的生活，也想不到尽可能从过错中挽救出一些有价值的东西。更严重者，他们不但不创造新的财富，反而从这次失败的经验出发，令自己的头脑陷入更激烈冷酷的斗争，最终颓废而成忧郁症，成为自己情绪的牺牲品。

我就给你举个例子来说明。这个例子的主人公是以前我班上的学员，如今他在纽约经销汽油。

他告诉我说："我被人勒索了，可以前我从来不会相信有这种事情的，我以为它只发生在电影里，从没想到现实生活中也会有。可确实，我觉得我就是被人勒索了。事情是这样的。

"我们公司有好几辆运油的卡车及配套的司机。根据当时物价管理委员会条例，我们送给每位顾客的汽油是有限的。可后来我发现，有些送油的司机经常偷偷减少顾客的油量，然后把自己偷偷留下来的油再私下里卖给别人，从中赚取不义之财。

"一天，一个自称政府调查员的人来到我面前，向我索要红包。他的理由是，他掌握了我们公司司机徇私舞弊的罪证。如果我不答应他的要求，他就将这些罪证交给地方检察官。直到此时，我才知道有人还做这种坏勾当，对此我震惊不已。

"不做亏心事，不怕鬼敲门。这事至少跟我本人没有关系，所以我觉得没必要为自己担心。但根据法律规定，公司必须为那些不规矩的员工负责。我担心，万一这件事被法院知道了，我的生意会因恶誉受损。我很看重自己的事业，这是我父亲在24年前打下的江山，我不能让一切毁在我的手里，否则曾经令我骄傲的事业将会成为令我痛不欲生的噩梦。

"我为此忧心忡忡，以致很快就生病了，曾三天三夜寝食难安，一直担心被法院抓住把柄。我不知道是该给那个人五千美元的红包，还是对他的话置之不理。这两种想法整天在我的脑海里翻腾不已，我整天活在噩梦中。

"不久后的一个星期天晚上，我意外看到一本书，名字是《如何不再忧虑》。这本小书是我听卡耐基公开演说时领到的。我开始翻阅，看到了维奇·卡贝尔的故事，这里面介绍了怎样作最坏的打算。我就问自己，'要是我不给那个家伙红包，他把罪证送给地方检察官，会发生什么最坏的情况'。

"最坏的结果就是，我的事业将担上恶名。但至少我不会下狱，最坏的结果就是这件事会毁了我。

"我就对自己说'就这样吧，即使生意没了，我至少还能接受这样结果。接下去还会发生什么呢'。

"那就是，我不得不去找份工作，但这也不见得是一件多么恶劣的事情。凭着我对石油知识的掌握，是不愁没饭吃的，几家大公司可能都会很乐意聘用我的。想到这一层，我心里好受多了，我的担心也一点点变淡，情绪逐渐稳定下来。最让我想不到的是，这时我反而有了清晰的思维能

力，又能跟平常一样思考了。

　　"然后我看到维奇·卡贝尔的第三步，如何尽可能降低损失。想通了前面的事，剩下的问题就是解决问题了。我想，要是我把我目前的情况告诉我的律师，他也许能为我推荐一种好对策。你听到这里可能会笑，怎么一开始没想到找律师解决问题呢？说实话，这件事刚发生那几天里，我的脑子里除了忧虑和担心就放不下别的，根本没有正常的思维能力。现在，我又能正常思考了，于是我马上决定第二天一早就去见我的律师。看完这本书，这天晚上我睡得很踏实。

　　"你一定很想知道事情的结果，说来也许你不相信。律师建议我第二天一早就去地方检察官那里，如实告诉他事情的来龙去脉。我听从了他的意见，并照做了。检察官听完后，出乎意料，他告诉我，这几个月这种勒索案已经发生好几起了。那个自称是'政府调查员'的人实际上是警方通缉的罪犯。当律师告诉我这个结果时，我无法用言语来表达自己的喜悦，回想我不知道是否该给那家伙五千美元的红包时寝食不安的悲惨，再听到这个结果，那种惊喜犹如从地狱升到天堂。此时，我才大大松了一口气，禁不住埋怨自己为什么不把这件事早点告诉律师。

　　"这次经历我终身难忘。以后，每当我面临令人忧虑的问题时，我就用维奇·卡贝尔的办法让自己放松下来，屡试不爽。"

营造轻松的家庭氛围

　　男人在外工作了一天，回家的时候，感受到的是怎样的气氛呢？什么样的家庭能让一个男人每天早晨都精力十足地去开始工作呢？营造温馨的家庭气氛与男人的事业关系之密切，可能远远超过你的想象。

克里佛·亚当斯博士在《妇女与家庭》杂志的专栏上写道："对你的丈夫和孩子而言，家庭有什么意义完全取决于你的作用。当然丈夫和孩子对家庭也有义务，但是关键的还是在于你，在于你所创造的环境、营造的气氛，特别是你的榜样作用。"

无论一个男人有多么喜欢自己的工作，工作总会给他带来一些压力和紧张情绪。如果他要在第二天恢复精神继续开始自己的工作，那么他必须在家里消除这些紧张情绪。

每个妻子都想做一个称职的家庭主妇，可是经常做得过分，反而让丈夫在家中很难放松。小时候，我有一个邻居，她担心小孩子会弄脏她的地板，就不许她的孩子带小朋友回家玩。她害怕丈夫会把家里弄得都是烟味，就不让丈夫在家里抽烟。

就连看书看报，也要丝毫不差地放到原处。是不是有点神经不正常？或许吧。但是，生活中的这种情况远远超过我们想象。

几年前《克莱克的妻子》获得普利策戏剧奖，它之所以受欢迎，是因为生活中有很多像哈丽叶·克莱克一样的女人。哈丽叶的生活目标就是保持家中绝对的干净，她甚至无法忍受家人放错了坐垫。她担心朋友会把东西弄乱，因此不欢迎朋友来访。她认为自己的丈夫简直是一个破坏分子，破坏了她辛辛苦苦创造出来的干净环境。

在干净整洁的房间里，当丈夫随手放置烟缸、报纸、眼镜盒和其他东西时，妻子一定很生气，想和他大吵一架。不过，在大骂他是个自私鬼之前，你要先想一下，家庭嘛，本来就是一个随意放松自我的地方啊！

妻子可以决定家中的布置，但是不要忘记舒适——这是男人对家庭的最大的需要。有些东西在女人看来可能很有情调，但是身心疲倦的丈夫可能并不这样认为。比如：精巧的桌椅、精致的毛织品、各种装饰品，因为他希望放烟灰缸、报纸的地方，可以随便搁脚。

咱们来看一看单身汉的房间，看一下男人喜欢怎样布置房间呢？

路易斯·派克先生的诊所在纽约的帕克萨斯地区40号，他是我们的特约医生。他的办公室就在家中，最近正在重新装修。有一天我到他那里去，看到那些候诊的男病人都用羡慕的眼神，打量着他那宽敞的沙发、皮革面的桌子、高大的铜灯和下垂的大窗帘。

　　另一位单身汉华格尔·林克先生，把自己的房间也布置得非常舒适。他是新泽西州标准石油公司的地质部主任，由于工作需要，他跑遍了世界上每一个偏僻的角落。他在纽约有一所超现代的公寓。他的房间实在让人喜欢，宽敞、明亮、舒适，而且充满了个性和趣味。他把旅行带回来的纪念品当作房间的装饰：刚果的木雕、爪哇的手工染布，还有东方的象牙雕，床单是从秘鲁带回来的骡马皮！

　　难怪他不愿意结婚，因为即使是一个女人，也未必能够像他们自己那样把房间打理得那么舒适。如果你真的无法忍受他把烟灰到处弄得到处都是，那就多给他买几个大型烟灰缸吧。他经常不小心践踏你喜爱的精致的脚垫？那就把你喜爱的脚垫放在客厅里，给他买一个塑胶脚垫吧。

　　他经常把烟斗、相机、收藏品、书本、报纸放在固定的地方吗？也许他没有合适的地方放置，只好把它们放在阁楼的角落里。

　　记住，如果你想把丈夫留在家中，最好的办法就是让他感到家中的轻松和舒适！

三

不抱怨，不为无益的举动消耗能量

——抱怨的负面能量可以摧毁任何可能

抱怨会让我们陷入一种负面的生活、工作态度中，常常在他人身上找缺点，包括最亲密的人。不抱怨的人一定是最快乐的人，永不抱怨的世界一定最令人向往。如果每个人都能把抱怨变成善意的沟通，把抱怨变成积极的建议；把抱怨变成正面的行动；就会惊喜地发现一份近在咫尺的成功和一个没有抱怨的全新的世界。

当下的力量最重要

史蒂芬·李高克写道："生命的历程是多么奇怪啊。当人还是小孩子的时候，他说'等我是个大孩子的时候'；可当他成了大孩子时，他又说'等我长大成人后'；待到他长大成人了，他又说'等我结婚之后'；等到他结婚之后，他又说'等到我退休之后'。结果，他退休了。回首往事，似有冷风吹过，所有的一切都一去不复返，而他错过了一切。人们总是没有及早明白这个道理。"

而底特律城已故的爱德华·依文斯先生，在不明白"生命就在生活里，就在每一天中，每一刻里"之前，也几乎要忧虑地自杀。

爱德华·依文斯出身贫苦，最早以卖报为生，后来成为一家杂货店的店员。因为家里有七张嘴等着他来养活，他又谋到一个助理图书管理员的职位。这个工作薪水并不高，但他却不敢辞职，只能这样拮据而又稳定地维持家庭的各项开支。8年后，他终于有勇气开创自己的事业。他的事业，是靠借来的55美元起家的，后来做成一年赚两万美金的事业。

没想到，福兮祸所伏，爱德华·依文斯遭到十分可怕的厄运。他为一个朋友背负了一张面额很大的支票，那位朋友却破产了。屋漏偏遇连阴雨，一次灾祸不够，又来一次，存着他大笔资金的银行垮了。直接结果就是，他不但损失了所有的钱，而且还负债1.6万美元。

他无法承受这样的打击，他对我说："我寝食难安，不断地生病，就是因为整天担忧。一天，我昏倒在路边，此后再也不能走路了。人们让我躺在床上，我的全身都开始溃烂，并逐渐往身体里面恶化，以至于我躺在床上都很难受。我的身体越来越虚弱，这时候医生告诉我，你最多只有两个星期的生命了。我吓了一跳，就写好遗嘱，然后拖着溃烂的身体等死。在我看来，担忧和挣扎已毫无用处，只有放弃。眼看一切灾难将离我而去，我也就无所谓了，剩下的日子里我反而放松下来，像个孩子似的睡得香甜。随着令人崩溃的忧虑渐渐淡去，我的身体却开始恢复了，体重也明显增加。

"没想到几周之后，我就能下地撑着拐杖走路了。6周后，我就可以继续工作了。以前我一年能赚两万美元，现在我也能找到一份周薪30美元的工作，足够养活我自己了。当时我的工作是推销运送汽车的轮船上轮子后面的挡板。经此一病，我已经不再忧虑，不再为以前的蠢事而懊悔，也不再为将来的事而担心。我的所有时间和热情，都放在推销挡板这份工作上了。"

没几年，爱德华·依文斯就晋升为依文斯工业公司的董事长。这家公司还是一家纽约股票市场交易所的上市公司。如果你乘飞机去格陵兰，很有可能会在依文斯机场降落，这个机场就是为了纪念他而命名的。所以，如果爱德华·依文斯至死也不明白"生活在完全独立的今天"这个道理，绝不可能置之死地而后生，再次取得辉煌的成就。

抱怨是最伤人伤己的恶习

如果一个女人总是抱怨挑剔，对男人来说，这比奢侈浪费更为严重。

当然女人不做家务或者行为不检点，也会导致痛苦的婚姻。关于这一点，你不必马上同意我的观点，先听听专家是怎么说吧。

心理专家路易斯·特曼博士对1500对夫妇进行婚后生活的调查，结果发现，丈夫们认为妻子最严重的缺点就是唠叨挑剔！盖洛普民意测验得出的结果也与此相同，男人把唠叨挑剔看成是女人最严重的缺点。詹森性情分析是著名的科学研究机构，它的研究也证实，与其他恶习相比，抱怨与挑剔会给家庭生活带来更多的伤害。

桃乐丝·狄克斯曾写道："对一个男人的婚姻幸福而言，一个女人的脾气和性情，比任何事情都重要。如果她脾气暴躁、性格乖张、挑剔抱怨，即使她拥有全天下所有的美德，也是无济于事。

"很多男人没有获得成功，原因是他的太太总是对他泼冷水。她们无休止地抱怨，动不动就责怪自己的丈夫没有本事，为什么她认识的某个男人能赚到大钱？要么就是他为什么不能写一本畅销书？为什么谋不到一个好职位……娶了一个牢骚满腹的女人，做丈夫的怎能不愁眉苦脸！"

奇怪的是，似乎是与生俱来的天性，太太们总是在唠叨和挑剔自己的丈夫。据说苏格拉底躲在雅典的树下苦思冥想，很多时候是为了躲避他那脾气暴躁的太太；亚伯拉罕·林肯和法国皇帝拿破仑三世，这些杰出的大人物也经常忍受着妻子的唠叨；奥古斯都·恺撒因为"无法忍受那暴躁脾气"的妻子，于是和妻子离婚。

时至今日，很多女人仍不停地抱怨自己的丈夫，试图改变他。但是，这种方法从来没有产生过什么好的结果。

我的一位老朋友说，他的太太几乎摧毁了他的事业，她对他所做过的每一件工作都充满了轻视和嘲笑。刚开始他从事推销，他十分热心，而且很喜欢自己的工作。他每天拖着疲惫的身体回家，原本想得到妻子的安慰和鼓励。但是他太太总是用这样的话来奚落他："好啊，我们的天才回来了，生意很好吗？你知道吧，下个星期房租就要到期了。你是带回来了无数的佣金，还是带回来经理的一顿教训呢？"

他时时忍受着太太的冷嘲热讽，但仍然不停地努力，几年之后，他成为一家著名公司的执行副总裁。而他的太太呢？他们已经离婚了！他后来娶了一位年轻的女孩，这个女孩能够用自己的爱心来支持他，这是他第一位妻子所做不到的。可是，他的第一位太太并不知道自己为什么被丈夫抛弃，她不停地诉苦："这些年我跟着他受了多少苦，给他当牛做马，省吃俭用的，如今他不再需要我了，就去找了一个年轻女孩。男人都是没有一点良心！"

后来我们告诉她，她的丈夫离开她并不是因为别的女人，而是因为她的唠叨和挑剔。或许她本人不会同意，但是，她丈夫离开的确是因为这个原因。而且，她常常以轻蔑的方式表现自己的唠叨挑剔，一个男人无法忍受自尊受到这样的践踏，他认为自己能够养家糊口的自尊被彻底摧毁了。

我另一位朋友的儿子也有过类似的经历。他是一个二十多岁的青年，从事广告事业。由于竞争太激烈，他渴望安慰和体谅，来维持自己的斗志。但是他的太太非常要强，经常因为丈夫的动作缓慢、手腕不灵活而不耐烦。他经常受到太太的指责和嘲笑，所以变得情绪低落。

他告诉我，他的太太已经完全腐蚀了他的自信心，一点一滴地犹如滴水穿石。他开始对自己的工作失去了信心，感到未来一片渺茫。后来他失业了，不久妻子就和他离了婚。离婚后，他好像一个病人渐渐恢复了健康，又一点点恢复了失去的自信。

动不动拿自己的丈夫和别人相比，这种唠叨挑剔是非常伤害人的："你为什么赚不到很多钱？你看人家比尔·史密斯已经升了两级，你怎么还是没有一点长进！""哥哥能够赚钱，给嫂子买毛皮大衣，你怎么就不能赚钱呢！""如果我当初没有嫁给你，而是赫伯特，现在过得一定很舒服！"这每一句话都好像一把尖刀……

那些愚蠢而残酷的女人，都喜欢使用这些手段：诉苦、抱怨、比较、冷嘲热讽、喋喋不休。很多女人不仅仅使用其中的一种手段，而是同时使用。这些本领好像是麻醉剂，一种慢慢养成的习惯，既学不来，也改不掉。

如果一个20岁的女人经常抱怨："咱们什么时候才能住进像麦金家那样的新房子呢？"那么，等她到了40岁，一定会变成一个不知道满足的令人讨厌的抱怨专家。

在婚姻生活中，很少有夫妻能够不吵架。对于成熟的人，日常的争吵不会成为负担，也不会造成感情的破裂。但是，长期地抱怨，会让一个人的进取心崩塌。无论一个男人在白天从事什么样的工作，如果他每天晚上回到家后都要面对一个唠叨、抱怨的妻子，他的事业很有可能出现滑坡。

不要在精神上虐待自己

一次，有一件事情使我非常不能忍受，我为此失眠了好久，那段日子真是痛苦不堪。后来，我明白了要接受不可能改变的事实这个道理，我真觉得自己做了一件傻事，我居然为了一件不可改变的事情对自己进行了一年的精神虐待！

好几年前，我就已经开始背诵惠特曼的诗句：要像树和动物一样，勇敢去面对黑暗、暴风雨、饥饿、愚弄、意外和挫折。我曾做了12年的放牛人，但却从来没有看见一头母牛发怒过，哪怕是草地因缺水而干枯，天气寒冷，或者是一头公牛去追求别的母牛了。动物不仅能平静地面对这些，还有黑夜、暴风雨、饥饿，但他们从来不会精神失常或得胃溃疡，也从来不会发疯。

这并不是对你说，无论碰到什么挫折，都要俯首帖耳、低声下气，肯

定不是这样的，那是宿命论者的想法。不论发生了什么意外，只要还有挽救的机会，哪怕是一点点，我们都要全力以赴争取。但有些事，是无法避免的，也不会再出现转机的。碰到这种情况，理智告诉我们，就不要再白费力气挣扎了。

哥伦比亚大学已故的霍基斯院长曾对我说，他写了一首打油诗，这也可以说是他的座右铭：

世间疾病多，数都数不清，

一些可挽救，一些难治好。

如果有希望，就应把药找，

若是没办法，干脆就忘了。

在写这本书的时候，我曾拜访过很多著名的美国商人。他们成功的经验中有一条让我印象很深刻，那就是，他们中的很多人面对无法避免的事实，都能坦然接受，并依旧过着开心快乐的生活。否则，就会被更大的压力打垮。我这里举几个例子你就知道了。

众所周知，潘尼是全美潘氏连锁店的创始人，他对我说："即使我赔光了所有的钱，我也不会担心。因为我没发现担心对我来说有什么好处。我能做的，就是全力以赴做好现在的事情，无论发生什么意外，我都要坦然接受。"

亨利·福特也曾对我说过类似的话："对于那些我没办法处理的事，我就让它们自己解决。"

克莱斯勒公司的总经理凯勒避免忧虑的方法也是这样的。他说："要是有棘手的事情发生，只要我能想到办法，我肯定会努力解决。要是解决不了，我干脆什么都不做。我从不对未来担心，谁也不知道将来会发生什么。因为未来的可能有很多种，谁也没法说清楚这些影响未来的因素藏在哪儿。既然如此，我们的忧虑又有什么用呢？"听到这些话，你可能觉得他像一个哲人。他对你这种说法可能会惭愧，事实上他只是一个明事理的好商人。可他说的道理，却跟19世纪之前罗马哲学家伊皮托塔士的理论有惊人的相似之处。伊皮托塔士对罗马人说："没有其他的快乐方法，除非是不去担心那些无法控制的事。"

著名女演员莎拉·班哈特算是最懂得如何应付那些无法避免的事情了。在她从艺的五十多年来，她一直都是四大州剧院里皇后级的影星，也是全世界观众最喜爱的演员之一。但在她71岁那年，她损失了所有的钱，破产了。更不幸的是，根据医生的说法，她的腿也必须锯掉。

莎拉·班哈特在一次横渡大西洋的旅途中，遇到了暴风雨。她跌倒在甲板上，腿因此受到重伤，后来又感染了静脉炎和腿痉挛。医生觉得她不应该再忍受这种剧烈的痛苦了，认为应该把她的腿锯掉。在医生看来，这是非常可怕的消息，他担心坏脾气的莎拉无法接受这个事实，因此不知该怎么跟莎拉说。当他硬着头皮告诉莎拉这件事的时候，没想到莎拉看了他一眼，冷静地说："要是非这样做不可的话，那就按你说的做吧。"她说这些话的时候，表现得很平静，她坦然地就接受了命运的安排。

当这位勇敢的演员被推进手术室的时候，她的儿子禁不住哭了，母亲朝他挥挥手说："不要担心，我一会儿就回来了。"

手术之前，莎拉一直背诵她演过的一场戏中的台词。旁边就有人问："你这样做是不是为了给自己打气？"她回答道："当然不是的，我这是为了让医生和护士们没有压力，让他们高兴起来。"

手术结束后，莎拉逐渐恢复了健康。她一如既往地环游世界，在此后的7年时间里又为观众展示了她那迷人的风采。

艾尔西·迈克密曾在《读者文摘》里说："我们不再为那些无法改变的事情烦恼，我们的精力就可以用来创造更丰富多彩的生活。"

一个人的感情和精力都是有限的，他无法同时兼顾抗拒无法避免的事和创造新生活，他只能选择其中的一种生活。要么在无法避免的暴风雨面前折腰曲身，要么努力抗拒它然后再被它摧毁。

将有益于人生的东西列为准则

棒球队老将康尼·麦克说："很多事情都让我烦恼，我连续7年都是排名最后的棒球俱乐部经理，曾经在8年内输掉了800场球赛；然而，从25年前开始，我就不再烦恼了。"他讲述了一段发生在自己身上的故事。

"我是一名棒球老将，在这一行已经待了63年了。在我刚玩棒球的时候，连薪水都没得拿。当时，我们就在荒地上打球，还经常被地上乱七八糟的东西给绊倒。每打完一场比赛后，我们就把帽子反过来递向围观的观众收钱，随便给多少都行。但这种方式实在赚不了几个钱，所以有的时候，我们还得做些娱乐表演性的演出，不然连一家老小的吃饭问题都解决不了。

"自从我打棒球以来，很多事情都让我烦恼。我连续7年都是排名最后的棒球俱乐部经理，曾经在8年内输掉了800场球赛。这一连串的失败，让我忧愁得吃不下，睡不着。然而，从25年前开始，我就不再烦恼了。我知道，如果我不停止忧虑，就要进棺材了。

"回顾漫长的生命历程（我出生于林肯总统时代），我发现，自己之所以能够战胜烦恼，活到现在，和下面几种方法有很大关系。

（1）我意识到，烦恼只会对我的棒球生涯造成损害，对我的前途产生危害。

（2）忧虑对我的健康造成了非常大的坏处。

（3）我让自己整天忙着筹备比赛，那样就再没时间为失败而烦恼。

（4）我为自己定下了一个规则，在球赛结束后的24小时内，绝不批评球员在比赛中所犯的错误。

"以前，我一直是和球员们一起更衣，输球之后，总是忍不住批评他们，毫不留情地和他们争吵。后来，我发现这样做不仅徒然增加自己的烦恼，也使球员们非常难堪，而且满怀怨气，不愿合作。

"既然无法控制自己的舌头，我只好控制自己的行动——在比赛失利之后，不和球员见面，到了第二天，再和他们讨论比赛中的失误。到那时，我的头脑已经冷静了许多，可以十分理智地和他们讨论，而球员们的情绪也不会过于激动而和我争吵。

（5）平时多表扬球员，激发他们的信心和斗志；而不是像以前那样，总是指责他们，挑他们的毛病。

（6）人们在精疲力倦的时候，往往容易灰心沮丧。因此我每天都保证有10小时的休息时间，中午坚持午睡，哪怕只是5分钟，也能大大振奋精神。

（7）在忙碌的生活中，我消除了种种烦恼，让自己活得更久。虽然我已经85岁了，但我还是不想退休。当然，当我在反复讲述这些故事的时候，我知道自己确实已经老了。"

虽然康尼·麦克并没有读过《快乐的人生》之类的书籍，但他依然能为自己定下这些规则。为什么我们不将那些自己认为有益于人生的东西列为自己的行为准则呢？

唠叨吞噬了婚姻的幸福

75年前，拿破仑的侄子拿破仑三世爱上了全世界最美丽的女人——女

伯爵尤琴。他们二人结婚了，他的顾问劝告他，她的父亲只是西班牙一位普通的伯爵，地位并不显赫。拿破仑三世反驳说："那又有什么关系呢？"他喜欢她的高雅、她的美貌。在一篇皇家诏文中，他激动地昭告全国："这个女人值得我深爱，我就是为她而生的。"

对于新婚中的拿破仑三世来说，他们的婚姻是完美的，财富、健康、权力、声名、美丽、爱情和尊敬，该有的都有了，这是一桩令人炫目的结合。

炫目的光彩很快就暗淡下来，只剩下难看的灰色。拿破仑三世的爱情、他皇帝的权力都足以让尤琴成为最幸福的法兰西皇后，但这一切都无法阻止她的疑心、嫉妒和不停的唠叨。

在这些不良心理的支配下，她不再听从他的命令，甚至不让他有一点个人的时间。他在处理国政的时候，她会突然闯进来；他讨论重要事务时，她也跑过来干扰；她还不让他单独活动，因为她怀疑他会找其他的女人。

她还经常找自己的姐姐抱屈，诉说对丈夫的不满。她会闯进他的书房，不停地大声辱骂他。贵为一国之君，拥有十几所华丽的宫殿，可这位尊贵的皇帝却没有一处可以安心静养的地方。尤琴的行为又为自己带来了什么？

莱哈特在《拿破仑三世与尤琴：一个帝国的悲喜剧》一书中写道："拿破仑三世不得不趁着黑夜，乔装打扮，在自己亲信的陪同下从小侧门悄悄溜出去，找美丽的女人约会，或者仅仅出来观赏巴黎夜景，到皇后不经常到的地方呼吸下自由的空气。"

这就是尤琴的唠叨所换来的东西。虽然贵为法兰西帝国的皇后，世界上最美丽的女人，但就因为她的唠叨，不管她多尊贵、多美丽，都不能守护自己的爱情。她大声地哭诉着："我最担心什么，什么就来了。"这叫做自作自受，一切都是她咎由自取。没有嫉妒和唠叨，她就不会有这样的下场。

　　唠叨就是魔鬼的诅咒，它蚕食着爱情。它的阴谋总是能得逞，就像眼镜蛇咬人一样，具有无比的破坏性。托尔斯泰夫人明白这一点的时候已经晚了。她临死的时候，把儿女们叫到跟前说："是我害死了你们的父亲。"儿女们一起痛哭，却不问为什么，因为大家知道，一切如母亲所说。当年，就是她唠叨个没完，才让托尔斯泰忍受了巨大的痛苦。本来他们夫妇的生活应该是很幸福的。

　　托尔斯泰是世界上最富有声名的文学巨匠之一，他的小说《战争与和平》和《安娜·卡列尼娜》都是文学史上最不朽的作品。托尔斯泰生前就获得了极高的声誉，身边总有崇拜的人围绕。他们把他的一言一行都宝贝一样记录下来，甚至"我想上床睡觉了"这样的话都记下来。据说俄国政府还要印制上百卷的《托尔斯泰言集》。

　　除了名声，托尔斯泰跟他的夫人还有金钱、地位和可爱乖巧的孩子。这样幸福的条件真是世间少有，他们的婚姻基础真是好得不能再好了。确实，刚开始时他们确实很幸福，而且希望这样幸福的日子永远继续下去。

　　好景不长，春天总是不够长。慢慢地，托尔斯泰不再是原来的托尔斯泰了，他开始否定从前，包括从前的创作。他开始写作杂文，都是关于反战、反贫穷、倡导和平等内容的。

　　曾经，托尔斯泰承认过，自己年轻的时候干多很多蠢事，包括谋杀。现在他却转而皈依主，也就是耶稣了。他扔掉自己的家产，专门过穷人的日子，还尝试着爱自己原来的对头们。

　　他晚年的生活很悲凉，起因就是他曾经幸福的婚姻。他的妻子喜欢奢华、名利和财富，托尔斯泰却不以为然。时间证明，正是这些差异导致了他们感情的破裂。很久以来，托尔斯泰总是想把自己创作得来的钱分给别人，妻子自然不答应，并因此常常对托尔斯泰唠叨、责骂、哭闹。要是他还不理她的话，她就撒泼打滚，嚷嚷着要吸毒、要自杀，她就是这样来威胁自己丈夫的。

　　他们晚年生活中唯一感人的一幕是，一天晚上，青春已逝、光华不再、饱受心灵折磨的妻子，来到托尔斯泰面前，寻求爱情的温暖。她跪着求他，把50年前写给她的那段充满柔情蜜意的日记读给她听。两人沉浸在昔日甜蜜的回忆中，不禁声泪俱下。可是，昔日的美好已无法重现了。

1910年10月一个风雪交加的夜里，81岁的托尔斯泰再也受不了妻子，离家出走了。大家都不知道他去了哪里。11天后，在火车站，人们发现了死去的托尔斯泰。至死，他都不愿见到自己的妻子——这一切都是唠叨造成的。

也许有人认为，托尔斯泰妻子的唠叨是可以理解的，也是值得同情的。然而她从唠叨中能得到什么呢？她得到自己想要的了吗？当然没有，只得到了她自己也不愿意看到的悲剧。无论这时候她怎样埋怨，也不能挽救什么了。

林肯也是一辈子饱受婚姻折磨，这甚至比刺杀还要痛苦。刺客一声枪响，他就死去了，不再有痛苦。可二十多年来，他无时无刻不在忍受自己的妻子，这是个脾气暴戾的女人。她总是看不惯林肯，对他所做的一切横挑鼻子竖挑眼，还经常嘲笑他、埋怨他，甚至看不惯林肯平常的姿势和走路的样子，及他的长相。

由于林肯跟她无论在教育、出身、脾气，还是爱好和想法等各个方面都截然不同，他们相处得很不和谐。研究林肯的学者贝维瑞治说："邻居们经常听到她那又高又尖的责骂声，除此之外，她还有更厉害的发泄方式。总之，她的暴戾行为举不胜举。比如说，刚结婚的时候，他们吃住在欧莉夫人家里。一次吃早饭的时候，林肯不知怎么惹恼了夫人，于是她不管有没有其他房客在场，将一杯滚烫的咖啡泼在林肯的脸上。欧莉夫人拿毛巾替林肯擦脸和衣服时，林肯羞愧地坐在那里，一句话也说不出来。"

她的脾气越来越暴戾，简直坏得令人难以置信。她在75岁那年终于疯了，因此人们可以说，并非她的坏脾气使然，而是她根本就有精神病。

这样的坏脾气，这样对待自己的丈夫，她让林肯改变了吗？只能说有点变化，那就是让她的丈夫痛苦，尽量躲着她。

众所周知林肯是律师出身，当时他们所在的镇上有11个律师，所以这个差事并不好做。因此，法官戴维斯到其他地方处理官司时，林肯得跟其他律师一样骑马跟着，为的是能在第8司法区的其他地方揽一些活。

每到周末，其他律师尽量回去跟家人团聚，林肯却不，因为他受不了自己的妻子。每年从春天到秋天的整整半年时间里，他都跟着法官在外面转悠，就是不回家，即便在外的吃住条件并不好。这一切都是她那暴戾的脾气使然。

看看林肯夫人，想想尤琴皇后和托尔斯泰夫人，她们的唠叨换来了什么？悲剧而已，她们毁了自己的爱情和幸福。

在纽约家庭关系法庭工作了11年的贝丝，整天就是处理男人抛弃妻子的案件，算一算总有上千件了。总结之后，她认为，妻子的唠叨是逼走丈夫的主要原因，正如一家报刊上所说："很多妻子都在为自己的婚姻挖墓穴。"

不因己之喜好而要求对方

曾两次任英国首相的狄斯累利说："我可能会犯一切错误，但我绝不会犯因爱情而结婚这样的错误。"

他真的是这样做的。35岁之前，他一直是个快乐的单身汉，直到他向一位富孀求婚。当时这富孀已经50岁了，整整大他15岁。她当然知道他跟自己结合就是为了钱，因此对他说，我要考验你一年再说。一年后，他们的婚礼如期举行了。

也许你觉得这桩婚姻太功利、太不罗曼蒂克了，可让大多数人没有想

到的是，这桩功利性的婚姻竟然很成功。这位富孀当然不再年轻漂亮，智慧和学识表现得也很一般。比如说，她竟不知道古希腊和古罗马谁的历史更悠久，她也不擅长收拾屋子。但最重要的，也是她做得最好的，就是她懂得与丈夫的相处之道。

她从来不跟狄斯累利较劲。他在外面跟别人唇枪舌剑回来已经很累了，是她让他得以彻底放松。慢慢地，他越来越喜欢家里，因为在家里他能得到宠爱和温暖，不需要再浪费精力争什么，这就是他最舒适的港湾。她所做的一切都让他感到安全，妻子是他可以畅所欲言的对象。每天他结束了下议院的工作后，就是急忙回到家里与她倾诉，而且她总是给他以信心和安慰。

在此后的30年里，她全身心都放在自己的丈夫身上。这一切她都心甘情愿，她以为这都是值得的。当然她也得到了回报，他把她当作主宰，请求维多利亚女王封她为贵族，于是1868年，她就被女王封为了子爵。

他从不说她哪里不好，尽管有时候她在公共场合表现得确实很糟，但要是有人敢取笑她的话，他一定会反击来保护她。虽然有这样或那样的缺点，但30年来她对他一如既往地支持和呵护。狄斯累利说："我们结婚30年了，可我从来没有厌烦过她。"还说她是自己一生最重要的人。她也经常对自己的朋友说："是他让我生活得这么幸福。"

他们还常常互相调侃。狄斯累利曾说："不管怎样，你知道，当初我们结婚时，我就是为了你的钱。"她则说："那当然。但现在我们在一起是为了爱情，不是吗？"他就承认她说得很对。

她是有很多缺点，但狄斯累利总有办法不惹她生气。正如亨利·詹姆斯所说："要是没有什么严重影响到自己的事情，不要干预对方的快乐，这是夫妇相处首先应该注意的。"请记住这句话，因为这是一句相当重要的话。

法斯特·乌德曾写过一本书，叫做《在家庭中一起成长》。书中说："幸福的婚姻，除了自己认为合适，也要让对方觉得合适。"

不要指责我们最亲近的家人

狄斯累利政治生涯中的死对头——在1868年到1894年间4次当选英国首相的格莱斯顿，也是徜徉在幸福婚姻中的幸运儿。

格莱斯顿夫妇共同生活了59年，在这长达半个多世纪的时光里，他们总不乏慢慢流淌的爱情。他们能够甘苦与共，他们不缺少浪漫。在外面为政，格莱斯顿也许锋芒毕露，可一回到家，他从不指责什么。比如说，他早上下楼吃饭，要是发现别人还没有起床，他就大声唱歌，别人听到他的歌声，于是明白这个大忙人要吃早餐了。他从不对家务事说三道四，他把外交家的风度搬回了家。

俄罗斯女皇叶卡特琳娜二世也是这样处理自己的家务事的。这位至尊红颜，统治如此庞大的帝国，她不得不表现得残暴一些，杀头、打仗都是她惯用的手段。但是，要是她的厨师把肉做焦了，她却一点也不生气，微微一笑，然后吃掉。这是她值得我们学习的一面。

桃乐丝·狄克斯说："没用又伤人的指责就不要说了，因为它导致了爱情的消失，不幸婚姻的降临。"那么，是不是孩子有了错误也不要指责了呢？让我们先看看一篇文章。一家报纸上曾刊登过这篇文章《不合格的父亲》。文章真诚而感人，被转载了很多次。文章的作者劳奈德说，不光全美几百家报刊抢着转载，而且也曾在广播和电视里多次播出，更让人想不到的是，很多大学和中学的刊物也纷纷转载。这篇文章怎么有这么大的魅力呢？下面是这篇文章的摘要。

不合格的父亲

雷文斯顿·劳奈德：

　　我的孩子，当你在床上躺下来时，稚嫩的脸颊枕在胳膊上，卷卷的金发贴在稍有汗水的额头上，是的，你已进入梦乡了，我现在要对你倾诉了。

　　带着忏悔，我悄悄走到你的床前。就是几分钟前，我在书房处理文件的时候，一股悔意向我涌来。我的孩子，我是对你太狠心了。你懒洋洋地穿衣时，你本应该洗脸却只用毛巾擦一下时，你没擦干净鞋子时，你随意往地板上扔东西时，我都很严厉地叱责了你。

　　用早餐时，我又叱责了你。你弄得饭桌上都是东西，你吃饭不细嚼慢咽，把胳膊支在饭桌上，在面包上涂了太多黄油时，我都很严厉地叱责了你。我要去赶火车了，你却准备出去玩，你对我挥挥手说："爸爸再见！"我却沉着脸说："挺起胸来！"

　　下午我回来时，你正跪在地上跟朋友玩弹子球，把裤子都磨破了。我拽你回家，很丢你的面子。身为父亲，我竟然说了这样的话："这裤子这么贵，你要小心点穿，难道要我再花钱去为你买吗？"然后，我到书房里处理文件。你委屈地走过来，很害怕的样子。我不耐烦地看着你，吼道："你想干什么？"你什么都没说，只是跑过来搂着我的脖子吻了一下就跑开了。

　　我的孩子，你刚跑开，我手中的文件就掉到地上，一股悔意涌向我。我怎么能这样对你呢？你还是个孩子呢。我怎么能这样叱责你？我怎么能用我的标准来要求一个孩子？哪怕我很爱你，哪怕我对你有很高的期望。但我的孩子，你跑过来亲我的样子，让我觉得小小的你是如此美好，这么诚实，胸怀这么宽广，如照亮山峰的晨曦。我的孩子，今晚我什么都不做了，就坐在黑暗中，你的床前，跪下来作深刻的忏悔。这也是为了安慰我自己。即使你醒来，听到我说这些话，你也不会理解的。但从明天开始，我下决心要成为一个合格的父亲！成为你的朋友！

跟你共同分享快乐和悲伤。要是我再叱责你的话，我就割掉我的舌头。我郑重地对自己说："他还是个孩子，还是个孩子！"以前我总用大人的标准要求你。但现在不了，我的孩子，你在我眼里，你甜甜睡着了的样子，在我眼里，我的孩子，还是个婴儿，就像躺在妈妈怀抱里的婴儿。在这之前，我对你太狠，太严厉了。

无论谁，都渴望被赞美、被爱。因此要想得到幸福，就要真挚赞美你的家人，告诉他们你爱他。

爱情需要赞美的滋润

洛杉矶家庭关系学社社长保罗·波皮诺说："大多数男人，在寻找伴侣的时候，不是想找工作能力强的女人，而是找那些看上去让自己很有面子的女人。因此，那些女强人，通常会有人请吃饭，不过只是点到为止。你会听到她在餐桌上大谈特谈她的工作、她的学识，但不久，她又要重新过一个人吃饭的生活了。那些普通的小姐们就不同了。男人请她吃饭的时候，她温情脉脉地看着他说'给我讲讲你的事迹，可以吗'。结果，这个男人就会这样评价她'虽然她不是很漂亮，但听她说话真是一种享受'。"

男人得注意赞美女人的穿着打扮，因为这是她花了很多心思的结果。很多人知道这一点，但却往往忽略了。比如说，一对男女出去逛街，当他们看到另一对男女时，女人们通常不怎么注意那个男人，但却一定会留心那个女人的穿着打扮。

我奶奶终年98岁，几年前她快不行的时候，我们给她看她年轻时的照片。当时她的眼睛已经快看不清楚照片了，只是轻轻地问了一句："照片上

的我穿什么衣服？"她马上就要离开我们了，神志不清，以至于连自己的女儿都认不出来，而她唯一关心的，就是那时候她穿什么样子的衣服。我当时在场，所以我总记得这件事。

男人们总是不在意自己曾经穿了什么衣服，女人们就不一样了，所以男人也应该注意到这一点。法国人就很明白这个道理，他们经常夸女人的穿着打扮，且一夸就夸几次。那么多法国男人都这样，肯定是有原因的吧。

我有剪报的习惯，曾摘录过这样一篇故事。不管这是个真实的故事还是虚构的，至少它说明了一个道理。故事内容是这样的：

一个乡下女人工作了一天后，把一堆牧草放在了她家男人们的面前。他们都很生气，说她是神经病。她说："难道你们也注意自己的食物了吗？这二十多年我一直给你们做饭吃，你们却没有说过一句感谢的话，这跟让你们吃牧草有什么区别？"

沙皇时代，俄国贵族流行这样的习气，即吃完大餐后，把厨师请过来夸赞一通。你对你的太太这样做过吗？那么以后记得，下次吃完她做的饭，一定积极夸奖她。否则，也许哪一天她也会把一堆牧草放到你的饭桌上。有句名言这样说的："谢谢你的小女人。"请记住这句话。

每个人都应该让自己的另一半知道，对方对我们的幸福意义重大。我曾在一本杂志上看到一段对艾迪·康塔的采访，他说："这个世界上对我帮助最多的人是我的妻子。当我们年轻的时候，她是我的朋友，帮我的事业走上了正轨。我们结婚后，她为我省钱投资，我们因此挣了很多钱。她为我生过5个孩子，她总是让我们的家里充满温馨。所以现在我的成就，全都是她的功劳。"

好莱坞的婚姻就跟气球一样，说破就破了，没有保险公司敢为他们的婚姻作保。但也有例外，比如华纳·白斯特的婚姻。白斯特太太魏妮菲·布瑞荪本是著名演员，在她事业如日中天的时候，她放弃了自己的演艺事业嫁给了白斯特。她从来没有因此埋怨过白斯特。白斯特说："她失去了昔日大众的关注和赞美，但我让她明白，我一直保持着对她的关注和赞美，这让她很高兴，这也是我们婚姻幸福的原因。"

爱情藏在最细微的地方

很多男人不注意在细节上关心自己的妻子，于是爱情就在这些细节的地方消失了。

一直以来，鲜花就是爱情的象征。它们不贵，购买也很方便，但是，却很少有丈夫记得下班回家给妻子买花，哪怕是便宜的水仙。

不要到她生病住院的时候，你才想起来买花给她。平常你完全可以买花送她，效果就是不一样。百老汇的大忙人乔治·柯汉每天都记得给妈妈打电话，虽然并不是总有话对她说，他仍要通过这样的方式表达对母亲的关心。他的母亲自然觉得很幸福。

女人通常很看重自己的生日和结婚周年纪念日，这就是她们这个物种的特点，没有人知道她们为什么喜欢这些日子。很多男人一辈子记不住几个纪念日，但有两个日子一定要记住，那就是妻子的生日和他们的结婚纪念日。

芝加哥的一位法官约瑟夫·沙巴斯，他曾处理过4万件婚姻危机的案子，并使两千对夫妻和好如初。他说："很多夫妻的矛盾是由于疏忽了细节，如丈夫上班时，妻子不记得跟他说再见之类的细节。"

著名的诗人夫妇——劳勃·伯朗宁和伊丽莎白·巴瑞特·伯朗宁，他们的结合可能是有史以来最美妙的婚姻了。无论他多忙，都不会忽略细节上的关心和赞美。是他的爱，让残疾的她自豪地说："我觉得我就是一

位天使。"

很多男人意识不到在细节上关心的重要性。盖诺·麦德斯在《画报评论》上说:"美国家庭需要搞一些好玩的新鲜事,比如说在床上吃饭,可能会很讨她的欢心。"婚姻本身就是由一桩桩小事和细节构成的,不重视细节,婚姻就会出现问题。艾德娜·文森特曾作诗说:"爱情消失了,从一个个细小的细节中渐渐地消失了。"

雷诺有好几家法庭,每周有6天时间开庭办理结婚和离婚手续,来办理离婚的人数竟然占办理结婚人数的十分之一。他们离婚的原因,只有很少是因为不可调和的大矛盾。夫妻分开的最重要原因,就是忍受不了鸡毛蒜皮的小事。摘录下这段话,把它放在比较显眼的位置,为的是便于自己常常看到:"稍有不注意,很多宝贵的东西就从我们手中溜走了。因此要及时做对人有益的事,及时表达你对别人的关心。不要等待,及时去做,不要让它们趁我们疏忽的时候溜掉。"

为爱情多花费一点心思

美国杰出的演说家,曾是总统候选人的詹姆斯·布莱恩,把自己的女儿嫁给了瓦特·杜鲁芝。小两口的日子非常幸福,这里会有什么秘诀吗?

杜鲁芝太太说:"婚后我们可以说相敬如宾,我希望年轻的夫妻们在婚姻生活中也要做到以礼相待,无论怎样,蛮横不讲理都是一件令人头疼的事。"

蛮不讲理是爱情的致病菌。人们都知道这点,但也常常忽视它。你会注意到,很多时候,我们对待陌生人,比对待自己的家人还有礼貌。跟陌生人谈话，人们没有随便地打断，更不会偷看别人的信件，但对于家人，人们却做不到这点。套用桃乐丝·狄克斯的话："最让我们吃惊的，却也是事实，说最多伤害我们话的人，就是我们的家人。"

关于礼貌对婚姻和家庭的重要性，亨利·克劳也说过类似的话，他说："礼貌就是婚姻的润滑剂。"奥利佛·哈姆斯在《早饭的独裁者》这本书里描写的情景，可能在很多家庭里都存在，但他自己家里的情况却不是这样的。他就是喜欢为别人着想，从不让家人看自己的脸色，哪怕自己的心情很不好，他也喜欢一个人忍着。

哈姆斯这样做到了，我们一般人呢？我们中的大多数人，工作上遇到了麻烦，通常的做法就是回家向自己的家人发火。

荷兰人有个好习惯，回家进屋前，先把自己的鞋子脱下来放外面。这是我们应该学习的，这就是说，不能把外面的麻烦带到家里来。

威廉·詹姆斯写过一篇文章，题目是《人的某种忽视》，这是一篇值得我们好好看的文章。他这样写道："现代人老是忽略了动物和人的感情，但我们就是因为这种忽视而备受折磨。"

"我们就是因为这种忽视而备受折磨"，工作时很多人不会对工作伙伴发火，但很多人，却常常粗暴地对待自己的妻子。也许他没有意识到，婚姻比工作与幸福的关系更密切。

徜徉在幸福婚姻中的人，通常都比单身的天才更幸福。俄国伟大的小说家、在世界文学史上有不朽地位的屠格涅夫曾说："要是有个女人真正关心我，让我下班后回家吃晚饭，我情愿放弃所有作品和我写作的才能。"

世上有多少幸福的夫妻？在桃乐丝·狄克斯看来，幸福的婚姻不足一半。但保罗·波皮诺博士却说："跟事业相比，男人更容易在婚姻上取得成功。十分之七进入杂货买卖行业的男人会失败，但十分之七和女人结婚的男人会成功。"

对于这样的言论，桃乐丝·狄克斯会怎么认为？

她说："人生的旅途上，相对于婚姻来说，事业只是一段插曲，死亡更

是微不足道的小事。女人们就无法理解，为什么男人不能把和用在事业上一样多的精力花费在婚姻上。

"对男人而言，一位满意的妻子和一个幸福的家庭比赚100万美元更值得，但99%的男人却不会慎重而真诚地对待婚姻。他的主要精力，都用在他的事业上了。这让妻子们无法理解，事业就跟赌博一样，需要不停地奔波，还要经历挣钱、赔钱的折磨，为什么他们还如此痴迷而不匀出来时间爱护自己的妻子呢？

"男人们都知道，他的妻子希望他夸自己两句，为此她心甘情愿地为他做任何事。他也知道，要是他对她理家的才能赞美上两句，她就能更节约、更勤奋地打理家务；他还知道，他赞美一下她去年买的衣服，她就不会再花钱买新的了；他还知道，他能把妻子吻得闭上眼睛，不管任何不顺心的事；他还知道，他能吻得让她什么牢骚也说不出来。

"妻子们也知道丈夫们了解这些，但他们就是不这样做，反而用花钱的方式来表示，比如请她出去吃饭，买新衣服给她穿，买新车给她开，等等，就是不愿意赞美两句，体贴一下，这让她分不清楚，他对她的爱是不是真的。"

自豪地成为"家庭主妇"

一位社会学家曾经说，当一个女人说自己是"家庭主妇"时，心里总是不太舒服。因为，现在的女人认为做家务并不是有意义的事情，尽管女性在家庭生活中充分发挥了自己的聪明才智，但对社会而言并没有什么价值。

　　我想每个人都曾经听过女人用这样的口气来贬低自己吧？你是否和我一样感到愤怒和痛心呢？维持家庭生活、创造生活的幸福、抚育孩子成长……难道世界上还有其他工作比这更加伟大，对个人以及整个社会更有意义的？

　　只是"一个家庭主妇"！而这就好像一个男人在一个国际会议席上说："各位先生，我只是一位美国总统而已。"谁能不为其重要性而感到尊敬呢。

　　如果一个女人把自己全部的精力都奉献给家庭，她应该感到非常自豪。她在生活中的角色，比女演员在荧幕上扮演的角色还要丰富。你可用心想过"一个家庭主妇"需要具备多少技能吗？我告诉你吧，她要担当的角色有：厨师、洗衣妇、裁缝、护士、佣人、司机、会计、采购、总经理、秘书公关专家、女主人、人事主管、生活顾问、倾诉的对象，等等。这还不够，她要想让丈夫永远爱她，还要时刻保持美丽的形象。

　　世界上不会存在这样的办公室，老板亲自打扫卫生、记账、打字。但是，一个家庭主妇在家里却要做所有的这些事情，甚至比这还要多。所以，如果她们犯了一点小错误，也不值得大惊小怪。

　　我真希望能够设立一个年度奖，颁发给该年度最优秀的家庭主妇。因为，我认为她所表现出的能力和才智比职业妇女、电影明星、社交名媛都要多。

　　家庭主妇的工作，究竟对丈夫事业的成功有多大帮助呢？马尼亚·范韩与佛狄南·朗特柏格博士在他们的名著《女人！被忽视的性别》中作出了回答："研究表明，丈夫收入的30%~60%因为妻子治家水平的高低，要么被浪费了，要么发挥很大的作用。"

　　《生活》杂志曾经出版过一期特刊《女人进退两难的处境》，其中预算，如果男人请人到家里做"一个家庭主妇"的工作，那么一年至少要花费一万美元！而且，有很多名人是因为妻子的帮助而获得成功，他们的妻子认为自己家庭主妇的身份很值得骄傲而且很有意义。艾森豪威尔总统的

夫人就是一个典型的例子。

艾森豪威尔总统夫人在《如果我现在又当了新娘》一文中，提出自己最崇高的信念就是"妻子——女人的天职"。

"洗小孩子的尿布，或者全家人的脏衣服，确实让人感到乏味。每天都有很多琐碎的杂事，好像永远也做不完一样，有时候真的感到非常厌烦。特别是丈夫拉长了脸问你'今天有什么事情吗'时，你只能回答'噢，已经付过水电费了'……

"假如我现在又当了新娘，我还是愿意做一个家庭主妇，过着和从前一样的生活。尽量做好自己应该做的事，利用丈夫的薪水来处理好家务，每天早上给他准备好早餐，送他出门工作。我会尽力让家庭平安温馨，我会尽自己最大的能力来帮助他实现自己的理想。我热爱这份工作，家庭主妇是我的天职。我认为这是我最有意义、最有价值，虽然繁忙但是快乐的工作。"

艾森豪威尔总统夫人作为"一个家庭主妇"，是非常称职的，她利用自己的力量帮助自己的丈夫步入了美国最高的权力殿堂——白宫。

钱，并不能真的改善生活

人类70%的烦恼都和金钱有关，但是人们在处理金钱时却显得极为盲目。在金钱方面，每个人都有各种各样的苦恼。如果我能够解决这些烦恼，就不会坐在这里写书了，而是坐在白宫内总统的身边。但这也并不代表我对此毫无办法，我可以找出这方面的专家和他们权威的看法，还能为你指明在哪里可以得到相关书籍和咨询手册。也许，你可以从我的这些建议中得到一些帮助。

《妇女家庭》月刊曾做过一次调查，结果发现，人们生活中70%的烦恼都和金钱有关。而盖洛普民意测验协会的主席盖洛普·乔治也曾说过，大部分人都相信，只要自己的收入增加10%，经济上的难题就会全部解决。生活中也有许多事例都证明了这一点。

但是，却有更多的事例刚好相反。在我写本章文字时，曾请教了理财专家爱尔西·史塔普里顿夫人。她曾长期担任华纳梅克百货公司的财务顾问，她其中的一项工作就是以个人顾问的身份，帮助那些被金钱所烦恼的职员。在她所帮助的人中，有年薪不到1000美元的行李生，也有年薪超过10万美元的公司经理。

她语气肯定地对我说："对生活中大多数人来说，多挣一些钱并不能解决他们的经济烦恼。"事实上，我们经常可以看到，一个家庭在收入增加之后，生活水平不但没有得到真正改善，反而增加了更多的烦恼。

史塔普里顿夫人说："这些烦恼并非源于缺钱，而是源于他们不懂得合理地消费！"也许你会对这句话嗤之以鼻，但是在你表示不屑之前，请注意，史塔普里顿夫人并不是泛指"所有的人"，而是指"大多数人"。这里面也许并不包括你，但却极可能是你的兄弟姐妹或者亲戚朋友，这样的人可多着呢！

也许会有读者抱怨："你跟我换一换就知道了，拿和我一样多的薪水，支付和我一样的账单，维持应有生活开支，看你能撑多久！你现在是站着说话不腰疼。"

生活的确不容易，我也有过困难的时候。我曾在密苏里的玉米田和谷仓里一天工作10个小时，整天累得腰酸背疼。而如此辛苦的工作，1小时的酬劳却不到1美元，也不到5毛钱，也不到1毛钱，而是每小时5分钱啊！我知道整整20年住在没有自来水、没办法洗澡的房子里是什么滋味；我知道躺在零下15度的卧室里是什么滋味；我知道为了省下1毛钱徒步远行以至于鞋底磨穿的滋味；我也知道因为没钱把衣服送去熨烫而不得不将裤子压在床垫下的滋味……

然而，即使在这样恶劣的环境里，我仍然会设法节省下几个铜板。如果不这样做，我的内心就不会安宁。有过这样的经历，我才懂得要想不欠债并减少烦恼，就应该学习那些大公司，为自己拟订一个开支计划，按计划来消费购物。但是，生活中的大多数人都不会这样做。

我的好朋友西蒙金说过一句非常有道理的话："人们在处理金钱时，总显得出乎意料地盲目。"他告诉我，有一位会计师，在处理公司的业务时对数字十分敏感，但在处理自己的金钱方面却像个笨蛋。如果星期五中午发工资，他下午就会跑到商场，看到自己喜欢的东西就立刻买下来，根本不考虑还要缴房租、水电费等生活杂费。作为一个财务人员，他懂得自己的公司如果这样运作，肯定会很快破产。但是，在处理自己的金钱时，他却没有这种意识。

你要记住，在处理自己的金钱问题时，你实际上是在经营自己的产业；而且这是一件私事，别人也帮不上忙。但是，我可以为你提供一些管理金钱的原则，以及如何进行预算和计划，你可以参考一下。

（1）将所有花费都记在纸上。

50年前，亚诺·班尼特来到伦敦，下定决心要当一名小说家。但是，他当时非常贫穷，生活开支成了一道难题。为了保证有计划地消费，他将每一分钱的用途都记录下来。他难道记不住自己的钱是怎么花的吗？不！他只是要养成计划消费的意识。他十分满意自己的做法，即使在他成了世界闻名的作家、富翁并拥有私人游艇之后，依然如此。

约翰·洛克菲勒也有这样一个记账本，每天晚上在上床睡觉前，他总要将每分钱的去向都清清楚楚地记录下来。

我们也应该立即弄个笔记本来，开始记录。是不是要记上一辈子呢？不，不需要。理财专家建议，至少在第一个月将自己所花费的每一分钱准确地记录下来，在坚持3个月后，它将会为我们提供一个准确的记录，可以让我们了解钱的去向，并以此作为预算的依据。

　　你知道自己的钱都跑到哪儿了吗？如果你真的记得，那你可真一个了不起的人物。史塔普里顿夫人说，当人们花费几个小时记录下所有数字时，他们常常会惊叫着说："天哪，原来我的钱是这样花掉的！"你不妨也试试，看看自己会有什么反应。

　　（2）拟订一个真正适合你的预算计划。

　　也许你会觉得预算计划都差不多，哪有最适合的计划呢？在这个问题上，史塔普里顿夫人举了一个例子：两个家庭，在同样街区，住同样的房子，有着同样多的孩子，甚至基本收入也一样多——然而，他们的预算却完全不同。这是为什么呢？因为人的个性与需求各不相同，预算必须根据各人的具体情况来拟订。

　　预算，并不是意味着要将生活中的所有乐趣统统抹杀。它真正的意义在于，给我们一种物质安全感。从某个方面来说，物质安全感也就等于精神安全感。在史塔普里顿夫人看来，"依据预算来生活的人，通常会比较快乐"。

　　怎样制定生活预算呢？如上所述，你首先要将自己的日常开支列在一张表格上，然后寻求帮助和指导。你可以写信向美国农业部索取这类小册子，也可以咨询银行里的咨询专家，他们会非常乐意与你讨论财务问题，并帮你拟订一份预算计划。

　　在我所见过的有关预算的书籍中，最好的一本叫做《家庭金钱管理》，它是由家庭财务公司出版发行的。

　　（3）学会聪明地花钱。

　　聪明地花钱，就是说使自己的金钱实现最高的价值。所有大公司都有专门的采购人员，他们的任务就是想方设法为公司采购到价钱最低、质量最好的商品。身为个人产业的主人，我们为什么不这样做呢？

　　（4）不要为收入而头痛。

　　中等收入阶层最容易为金钱头痛。史塔普里顿夫人对我说，她最害怕为年收入5000美元的家庭作预算。她说："年收入5000美元是美国大多数家

庭的目标，许多家庭经过多年的努力奋斗才达到这一标准。一旦达到这一标准，他们就自认为获得了成功，于是开始大肆消费，在郊区买房，购买新车，添置家具和衣服……一不小心，财政就会变成赤字。实际上，他们比以前更不快乐，因为他们把增加的收入花得太厉害了。"

人人都希望享受更高品质的生活，这是人之常情，但我们从长远看，哪种方式会给我们带来持久的幸福呢？是将生活花费控制在预算内，还是让账单塞满你的信箱，让债主整天敲你的门呢？

（5）如果你必须借贷，想办法去找银行贷款而不是找私人。

（6）购买医药、火灾和紧急开销的保险。

保险公司对于各种意外、不幸和一些可预测的紧急事件，都有一些小额的保险可供选择。我并不是要你把生活中的每一件小事都买上保险，而是郑重建议你为自己投保一些主要的意外险，否则，一旦出现事故，不但花了钱，还会引发烦恼。而且，这些保险的费用都很便宜。我认识一位妇人，去年她因病在医院里住了10天，而账单上却只有8美元，因为她买了医疗保险。

（7）不要将你的人寿保险以现金方式一次性付给你的受益人。

很多人投保人寿险，就是为了在死后能给家人带来一些好处，但是我提醒你，绝不可让保险公司一次性将大笔的现钞付给你的受益人。

面对从天而降的大堆钞票，一个人的生活将会发生什么变化呢？马利翁·艾伯利夫人是纽约人寿保险研究所的妇女组主任，她曾在全国各地的妇女俱乐部演讲，讨论人寿保险金问题。她建议，不要一次性领取保险金，而改为领取终身收入。

她举例来说明自己的观点：一个得到2万美元人寿保险金的寡妇，将钱借给了儿子开办汽车零件工厂，结果亏得血本无归。这位寡妇一下子变得穷困潦倒，连一日三餐都无法保障。另一位寡妇被一位花言巧语的房地产经纪人所游说，用大部分人寿保险金买了一块"保证一年内增值一倍"的荒地。3年后，她只能将土地卖掉，而仅仅收回投资的十分之一。还有一位寡妇，领取了1.5万美元的人寿保险金，却在一年之后向儿童福利协会申请补助，以抚养子女。

如果你真的希望在自己死后，家人的生活依然能有所保障，为什么不向摩根学习呢？这位当代最伟大的金融专家，将遗产分赠给了16位受益人，但他并没有给他们留下任何现金，而只是有价证券，这能保证他们每个月都得到固定的收入。

（8）培养子女的金钱责任感。

我曾经在《你的生活》杂志上看到的一篇文章，作者史蒂拉·威斯顿·图特在文中讲述了她教会小女儿养成对金钱的责任感的过程。她从银行里要了一本特别的存折，交给她九岁的女儿。每当小女儿得到每周的零用钱时，就将零用钱"存进"那本存折中，母亲担任着银行的角色。每当她要使用一毛钱或一分钱时，就从存折中"提出"，把余款详细地记录下来。这个小女孩不仅从中得到很多乐趣，而且也领会了处理金钱的责任感。

（9）如果你是家庭主妇，也许可以在家中挣点外快。

在你拟好开支预算之后，如果发现收入仍然无法弥补开支，那么你可以选择下面两种做法之一：咒骂、发愁、担心、抱怨；或者想办法挣点外快。看看你的周围，你会发现许多尚未饱和的行业。假如你做菜很美味，也许你可以考虑开设一个烹饪班，在你的厨房里教一些年轻姑娘们如何做饭，这也是一个生财之道，说不定上门的学生会络绎不绝呢。

现在，有许多教导人们如何利用闲暇赚钱的书籍，你可以到公立图书馆去借阅。不管男人还是女人，都有很多的工作机会。但我必须告诫你，除非你天生就有推销的才能，否则不要去尝试挨家挨户地推销。大部分人都痛恨这份工作，最终导致失败。

（10）不要赌博——永远不要。

有些人总想从赌马或吃角子机上赢钱，对此我真觉得无法理解。我认识一个拥有多架这种"单手土匪"机器并以此为生的人，对于那些天真地想要打败这些设计好的骗钱机器的傻瓜，他心中只有轻视，而绝不会有同情。

（11）如果我们无法改善自己的经济状况，不妨改变自己的心理。

每个人都有自己的财务烦恼：我们可能因为不如琼斯家而深感烦恼，但琼斯家也可能因为比不上李兹家而烦恼，而李兹家又因为赶不上范德比家而烦恼。要是我们无法得到我们所渴望的东西，也最好不要让忧虑毁掉我们的生活。我们得学会宽容，学会放开胸怀。

根据古希腊哲学家艾皮科蒂塔的说法，哲学的精义就是："一个人生活上的快乐，来自尽可能减少对外在事物的依赖。"罗马政治家及哲学家塞尼加也说："如果你一直觉得不满，那么即使你拥有了整个世界，也不会开心。"

即使我们拥有整个世界，我们一天也只能吃三餐，一夜也只能睡一张床；而即使是一个挖水沟的工人也能够拥有这些，而且他们可能比洛克菲勒吃得更加香甜。

四

不烦恼，经历风雨才能见彩虹

—— 人生就是一步难，一步佳

我曾遭过极严重的贫乏和疾病。人们问我如何度过那些难关，我总是这样回答"我既已度过昨天，就能熬过今天"。我不允许自己去猜想明天将发生什么事。在困苦的环境中，我们学到一些宝贵的生活哲学，是那些环境舒适的人所学不到的。我们学会了珍惜每一天，不为恐惧明天的来到而自我烦恼。恐惧会使人变得懦弱，把恐惧感从我们身上排除，因为经验告诉我们，当你害怕的那一刻来到时，白会滋生勇气和智慧来应付它。

让错误和烦恼"到此为止"

"你想知道怎样在华尔街赚钱吗？"恐怕至少有100万人想知道这个问题的答案。要是我在这里能回答出这个问题，我想我的书恐怕要卖1万美元一本了。我可以再给大家讲一个点子，这是被很多成功人士证实了有效的方法。首先告诉我的是一名投资顾问，他叫查尔斯·罗伯茨。

"我怀揣2万美元从得克萨斯州来到纽约，这一点钱还是我朋友托我做股票投资用的。本来我以为，凭我对股票市场的了解程度，我少不了会赚一笔的，没想到我却赔得分文不剩。实际上有些地方我也赚了一些，但最终都赔光了。

"要是我仅仅赔掉了自己的钱，那也没什么大不了的，关键是我把朋友们的钱也弄没了，这才是最糟糕的事，即使他们不缺这点钱。我的初次投资就出现了这样的结果，我很怕面对那些朋友。可我的朋友们一点也不生气，反而还很看得开，乐观到我想象不到的地步。

"我仔细检查我犯的过错。我认为，在我下次进入股票市场之前，我一定要先弄明白所有有关股票市场的知识。我拜访了一位最有名气的预测专家波顿·卡瑟斯，并跟他成为朋友。从这位新朋友身上，我学到了很多知识。一个人的成功，不仅仅靠运气和好机遇。

"波顿·卡瑟斯先问我以前是怎么做投资的，然后告诉我他所知道的股票交易原则。他说：'我在股票市场上买的每一宗股票，都有一个最低标准，即到此止步，不能再赔。举个例子来说，假如我以每股50美元的价格买的股票，我马上在心里给自己定一个最低标准，即最低不能低于45美元卖出去。所以，万一这支股票跌了，跌到比我买的时候低5美元的时候，我就立刻把它卖出去，这样我最多也就损失5美元。

　　"'如果你足够明智的话，一定还会买其他的股票，这些股票可能会赚平均10美元、25美元，甚至50美元。所以，当你把损失限定在5美元以内的话，即使当初买股票的时候你有一半以上的判断失误，最终也还是能赚很多钱的。'

　　"我很快就学会了波顿·卡瑟斯的方法，并一直沿用至今，这让我的客户和我自己赚回了不知多少美元。

　　"后来，我发现这个'到此止步'的原则，不仅仅适用于股票市场，生活中其他一些场合也同样适用。因此，除了财务投资，面对其他忧虑困惑的问题，我也为自己划上'到此止步'的最低界限，结果是令人惊喜的。

　　"比如说，有一段时间我经常跟一个不守时的朋友共进午餐。总是我午餐时间已经过去了大半，他这才过来。我就对他说：'以后我最多等你10分钟。要是你超过了这个时间还没有来到，恐怕我们的午餐就无法进行下去了，你将再也找不到我。'"

　　我真希望，自己在很久以前就学会"到此止步"的方法，那么我的不耐烦，我的坏脾气，及其他精神上的压力，都将得到完美的调节。为什么之前我没想到这一点呢，以至于让一点点的忧虑慢慢摧毁我平静的思想？为什么没对自己说这样的话呢："这件事有点值得担心，但没必要如此担心。"

　　好在，有一件事我做得还算好。

　　那是一次非常糟糕的事情，几乎是我生命中的重大危机，若非这样，我的梦想，我对未来的设想，我多年来辛苦的努力，几乎要付诸东流。我就讲讲我这次耐人寻味的经历。

　　我刚进入而立之年时，我的梦想是成为一个小说家，梦想成为弗兰诺、杰克·伦敦或哈代第二，当时我干劲十足。我在欧洲开始了我的写作生涯，在那里住了两年。由于"一战"后美元还是比较值钱的，所以在欧洲那两年里我也没花费多少钱。我创作了一本小说，取名为《大风雪》，正如它的名字，所有出版社对它的态度冷如呼啸而过的暴风雪。我的经纪人告诉我，这本小说一文不值，我没有任何写作的天分和才能。听完他的话，我的脉搏几乎要停止跳动。

　　我一脸茫然地走了。即使当时他用棍子敲了我的头，我也不会更奇怪，我当时几乎完全呆住了。站在生命的十字路口，我要作出一个什么样的决定才好呢？哪个方向才是适合我的呢？过了好几周，我才慢慢从茫然中走出来。当时我不知道为忧虑划一个"止步"的界限，现在回想起来，实际上我就是这么做的。

　　我把这次花费两年心思写成的小说当成宝贵的经历，然后继续生命的航程。我又做回组织和教授成人教育班的老本行，空闲的时间里偶尔写些传记和其他非小说的书。

　　对于当时作出的这个决定，我现在回想起来仍然沾沾自喜。老实说来，从那以后，我再也没为没有成为哈代第二而后悔，哪怕一天，一个小时。如果我们为生活中的各种情况划一个"止步"的界限，就会发现，生活中其实充满了快乐。

忘记压力，淡然面对

　　我在密苏里州的农场，经常能看到这样的情景。我的农场种了几十棵

树，刚开始时它们长势良好。后来下了一场冰雹，每根树枝上都堆满了一层厚重的冰。重压之下，树枝并没有顺从地弯曲，依旧骄傲地挺立着，可是不久，它们就在持续的重压下折断了。

这些树不如北方的树那样明智。在加拿大的时候，我经常看到那些常青树林，即使经常遭受风雪和冰雹，也没见哪一棵柏树或者松树被压折。这是因为，这些常青树懂得怎样顺从，懂得应付那些无法避免的事，所以弯垂下它们的枝条，适应了不可避免的磨难。

日本的柔道大师这样教导他们的学生："你们的身体要像杨柳那样柔顺，而不是跟橡树一样僵硬地直挺着。"

为什么汽车轮胎在忍受许多颠簸后还能在公路上持续使用那么久？开始的时候，人们想过要造一种能抗拒公路颠簸的轮胎，但是不久这种轮胎反而被颠簸成了碎块。后来，人们又造出一种新的轮胎，它能吸收各种各样的压力，即所谓能"接受一切"的轮胎。这就如同我们的命运，人生从来都不是一帆风顺的，总要承受这样或那样的挫折和颠簸，我们要做的，就是努力让自己在人生的路程中持续的更久，并学会享受生命的旅程。

要是人们不顺从命运中的磨难，而是反抗生命中无法避免的各种挫折，那就会产生这样的后果：我们不得不面对各种各样的矛盾，包括忧虑、紧张、烦躁和神经质；进一步来说，面对生活中种种不快，退缩到自己创造的自我理想世界里，很可能会更加心神不安，以至于神经错乱。

战争时代，不管士兵们怎样恐惧，都要接受这样两种选择：要么适应那些无法避免的事，要么在恐惧的压力下精神崩溃。我的一个学生威廉·卡塞留斯，他在纽约成人教育班讲了这样一个得奖的故事：

"我加入海岸防卫队不久，就被上级派到大西洋那边一个非常令人担忧的单位——我的工作就是管炸药！试想一想，我本来是卖小饼干的店员，摇身一变成了管炸药的人。我一想自己整天都要站在成千上万吨TNT上，就吓得魂不守舍。我只有两天的学习时间，然后就带着满腔的恐惧上岗了。

"我永远记得我第一次接受任务时的情形。我清楚地记得，那天又黑又冷，天空中弥漫着骇人的浓雾。我的工作岗位在新泽西州的卡文角露天码头，负责船上的第五号舱，与我一起工作的还有5个码头工人。这些码头工人虽然身强力壮，但却不懂炸药常识。他们正将重2000~4000磅的炸弹往船上装，可却不知道每一个炸弹都包含大量TNT，这些足能把我们的旧船炸得粉碎。在我们用铁链将炸弹吊到船上时，我一直忐忑不安，万一其中的一条铁链打滑，或者突然断了，那真是令人恐怖的事情，我不敢想象。上帝啊，我真是吓坏了，嘴发干，腿发软，心脏也似乎想要从胸腔里蹦出来。但是，我又不能退缩，逃亡不但会使我自己丧失荣誉，连带着我的父母也要跟着我丢脸，更何况我还可能因为逃亡而被上级枪毙。我只能留下来，战战兢兢地看着这些码头工人若无其事地将炸弹搬来搬去，心里却想着船可能就要炸掉了。

"我就这样无比恐慌地待了一个多小时，我终于开始恢复正常。我对自己说'即使你被炸死了，还会再发生什么更糟糕的事情呢？你也感觉不到疼，这反而是一种痛快的死法，比那些与癌症搏斗了好久死去的病人要好得多。但你却不能犯傻去当逃兵，否则肯定会被枪毙的。谁也不能长生不老，我不能这样屈辱地死去。与其这样痛苦，不如活得开心些'。

"我就坚持这样说服自己，一会儿慢慢就轻松了。最后，恐慌终于远离我而去，我终于能正视现实了。

"这段经历成了我人生宝贵的财富。此后每当我要为一些无法避免的事情再忧虑和恐慌时，我就会耸耸肩膀，然后对自己说'忘了吧'。"

真是棒极了，让我们大声为这位优秀的卖饼干的店员喝彩吧。

早在公元前399年，就有人说过："对于那些无法避免的事情，让我们来轻松地接受吧。"在今天这种充满了忧虑和恐慌的世界，人们更需要这句话："对于那些无法避免的事情，让我们来轻松地接受吧。"

学会自己宠爱自己

伊迪丝·阿雷德太太从北卡罗来纳州艾尔山给我寄来一封信，信上说："一直以来，我身体就很胖，脸看起来更胖。我母亲是一个很古板的人，她认为没有必要穿漂亮的衣服，总是唠叨着'宽衣好穿，窄衣易破'的话，她也是按这句话来为我添置衣物的。因此我很少参加宴会，也很少开心过。上学了，我不跟其他孩子一起参加室外活动，也不喜欢上体育课。我很害羞，觉得自己跟其他孩子不一样，不受人欢迎。

"长大后我嫁了个比我大的丈夫，我并没有为此改变很多。丈夫和婆婆都很和善，充满自信心，正是我希望成为的那种人。我尽量让自己跟大家融为一体，可却办不到。为了使我开朗，他们也积极努力，可结果却使我更退缩到自己的世界里去。我变得更紧张，开始回避我所有的朋友，甚至听到门铃声我就害怕。我知道这样的人生很失败，也很害怕丈夫看见这一点。所以在公共场合上，我的开心都是假装出来的，结果反而很不得体。我为此常后悔不已，甚至觉得生活没了意义，一度想过要自杀。"

什么改变了这个痛苦着的女人呢？只是一句很随意的话。她写道："改变我人生的正是一句随意而出的话。一天，我婆婆谈到自己教育孩子的问题。她说'无论怎样，我都让他们保持自己的本色'。就是'保持本色'这句话，刹那间我发现，我如此苦恼的问题就是，试图让自己适应一个并不适合自己的模式。

"我的人生就改变在这句话上。我决定恢复自我，我研究自己的个性，发现自己的特色和优点，还研究了色彩和服饰的搭配问题，我按适合自己的方式穿衣，主动结交朋友，还参加了社团组织，尽管是一个很小的社团。第一次参加社团活动时我很担心，但每发言一次，我就增加一分信心。虽然用了很长的时间，但我很开心，这些开心是以前我想都不敢想的。后来我教育自己的孩子时，我就将自己的经历及经验告知他们：无论怎样，你们都要活出自我。"

詹姆斯·季尔基博士说："怎样保持本色，这个话题跟历史一样古老。但也像人生一样普遍。"我们有必要每天留给自己一段独处的时间让我们去了解自己。因为孤独对尝试喜欢自己有很大的帮助。马里兰州薛顿精神病学协会的董事里奥·巴蒂梅尔博士曾说："过去的人在晚上睡觉之前，常常有反省自己一天的所作所为的习惯。我认为现在它仍然是一个懂得如何善待他人和自己的好方法。"

如果你是一个不能忍受自己的人，那么别人是不会喜欢和你做朋友的。哈瑞·艾默生·福斯狄克就曾说过这么一句富有诗意的话："不能忍受独处生活的人就像'受风吹拂的池塘，风不停，永远无法获得平静，反映自己美好的东西'。"

在我们试着独处的过程中，我们则是为自己的心灵找到了一个休憩之所、一个参照物、一个我们同外界保持联络的本来位置。"人只有在与自己的核心发生联系时，才能找到与别人的联系。我个人认为，孤独能让我以最快的速度找到我的核心、我内在的本质。"安妮·莫罗·林伯格在《来自大海的礼物》一书中就曾这样说。

孤独给我们提供了一个条件，一个相对客观的观察生活的条件。《圣经》诗篇中一个很好的建议就是"安静下来，同时体会自己就是上帝"。孤独带给灵魂的好处正如新鲜空气带给身体的好处一样。

不要把满足和快乐寄予别人身上，这样就等于把重担压在别人身上，而你却从中汲取快乐。喜欢、尊重和欣赏我们自己是健全人格的一部分，就像你喜欢、尊重和欣赏别人。

从容用心，理智用力

　　1910年，纽约，两个初来乍到的乡村青年在这座城市里合租了一间公寓。其中一个名叫戴尔·卡耐基，他就读于美国戏剧艺术学院，是个不谙世事又爱好幻想的密苏里州人；另一个名叫惠特利，同样是一个乡下孩子，来自马萨诸塞州。

　　惠特利虽然是个乡下孩子，却和一般的乡下穷孩子不同，他志向远大，决心成为一个大老板，拥有自己的公司。刚开始，惠特利在纽约的一家大型食品连锁店当零售员。他工作十分努力，还常常在空闲时间去批发部门帮忙，这并不是为了得到额外的报酬或者别人的感谢，而是为了更快地熟悉业务。部门主任知道这件事之后，就很看重惠特利，还给了他一个更好的工作机会。

　　时光如梭，惠特利不断地进步，从零售店员到业务员，再到部门主管，最后是地区业务经理。当然他也经历了很多失败和挫折，任何事都不是一帆风顺的。当他在一家公司工作很多年后，他发现公司总裁的一派人在公司势力强大，他总是被排挤在外，他觉得自己没有了光明的前途。但在后来的一家公司里，他又发现晋升凭的是资格，这样，他无论如何也进不了最高决策层。但是，他时刻铭记自己的奋斗目标，从来不曾懈怠。最后，他实现了自己的目标，成为一家包装公司的总裁，然后，他又创办了自己的蓝月乳酪公司。

　　当惠特利和戴尔住在简陋的公寓里时，惠特利曾十分坚定地对戴尔说："总有一天，我将是大公司的老板。"如今看来，这句话并不是痴心妄想，而是他的雄心壮志，他有一个伟大目标，并从这里获取了力量。

为什么惠特利获得了辉煌的成功，许多人却失败了呢？因为惠特利勤奋工作？可是其他人也同样勤奋；学历也说明不了问题，因为惠特利只是在空闲时间才进行自修。我想，最重要的原因是他有一个明确的目标。不论是加班，还是换工作，或者因为业务需要学习新技术——他时刻围绕着自己的目标进行。

书籍可以塑造健康的心灵

美国舆论调查机构的创始人和罗德奖金新泽西委员会的主席乔治·盖洛普曾说过："学习是一种持续一生、不能停顿的过程，可我们当中有很多人在取得文凭后就停止了学习。"

大学为我们提供的只不过是学习研究的时间和场所，而有待我们自己解决的问题还有很多。如果我们想要丰富自己的心灵，那就得了解"活到老，学到老"的真正意义。

当然，那些没有机会上大学或者夜校的人，如果他们也希望完善自我，那么他们可以选择自修。

赫伯特·莫瑞生——英国工党的杰出领袖曾谈起自己得到的最好的忠告，那时他才15岁，在一家杂货店当小工。一个街头的预测师给他摸过骨后，问他平日都看什么书，他回答说大部分是看那些书报摊上一个硬币一本的那种恐怖的谋杀案小说或短篇故事。

预测师说："虽然看这些无聊的书比不看书要好，但我觉得你很聪明，应该看些历史、传记方面的书。你可以凭自己的爱好去选择书看，不过你

要养成一个严肃的阅读习惯。"

正是这位预测师的话使莫瑞生的人生有了转折。他知道了即使只有小学文化，也一样能通过阅读来提升自己。从那以后，图书馆成了他经常光顾的地方。终于有一天，他进入了英国下议院。后来他说："以前我每天都把时间浪费在听广播、看电视上了，但是与一本好书相比，这些节目都是微不足道的。"

从美国舆论调查机构的调查来看，相对于其他英语国家，美国的读书人数正在逐渐减少，大多数美国人在去年还没有读完一本书。有60%的人说除了《圣经》外，去年他们一本书都没有读过，甚至有1/4的大学毕业生也是这么回答的。虽然在物质上，我们过着世界上最高水准的生活，可在知识上，我们却无比贫乏。为什么我们要任心灵荒废呢？浩瀚的知识海洋是允许每个人在里面遨游的，我们的图书馆是对任何人都开放的，为什么我们却让心灵如此饥渴？

书籍能使我们穿越时间、空间，去和世界上的伟人对话，与伟大的心灵沟通，使我们遨游在心灵所创造出来的世界里。书籍能使我们博学、睿智，任何我们渴望学习和知道的东西，都可以在书本中找到。

"文学经验是人类生活中最具深远影响，最能塑造心灵的重要事件。它可以通过聚会、说书人使文化繁衍生息；它可以使我们在几千后仍可以接受柏拉图和耶稣的教导；它可以把心灵和时间紧密结合起来，使我们有能力管理和控制宇宙；它既可以像'善'这个概念一样抽象，却又可以如门闩一样精确实用；它是人类通往高尚优雅境界的黄金之路。"新泽西州布鲁菲尔的初中教师兼阅读专家弗兰克·詹宁斯如是说。

是啊，书是人类精神的奇葩，是人类智慧、愿望和抱负的结晶。也许我们有机会认识和我们同处一个时代的伟人，但你若想了解他们，最好的办法就是读他们的书籍。我们奢望着能与伟大的心灵交谈，比如能跟苏格拉底一块散步或与雪莱一起做梦，和萧伯纳进行辩论或与马克·吐温一起开怀大笑……你知道吗，只要你还活着，只要你走进任何一家图书馆，你的梦想就会成真。

人类一生下来就限于宇宙中的一个狭小空间里。虽然我们能活60年、70年，甚至90年、100年，可是这些时间与永恒相比又算得了什么呢？如果我们再把自己封闭起来，远离书籍、抛开对知识的渴求，那么我们注定只能待在现在这个狭小的单元间里。

书籍能让我们感受到鲜活的人类经验。通过书籍，我们可以知道罗马十二大帝时代的人们是如何思考问题的，伦敦在瘟疫流行时期处于什么样的状况。

俄国曾经是一块多么神奇的土地，可是通过陀思妥耶夫斯基、屠格涅夫和托尔斯泰在他们作品中的描述，我们却看到了一个活生生的逐渐从内部腐烂的国家。凭借手中的笔，这些不朽的艺术家们记录的腐败的种子最后终于结出了美丽的革命花朵。正是通过他们的伟大作品，我们找到了可供现在借鉴的有价值的东西。

威尔斯曾说过这样一句话："我不敢保证威尔斯的身体或他这个人会永垂不朽，但我敢断言思想、知识和意志的成长却是个永不间断的过程。"让我们把更多的时间花在阅读上！相信吧，时间会把书籍中的垃圾淘汰，为我们留下人类思想和经验的精华。真正的好书是经得起时间和空间考验的，而且历久弥新，这是某些畅销书所不能比拟的。

泰迪·罗斯福向来就不喜欢被评为"本周畅销书"的书，他曾这样发表自己的观点："我宁可看曾经是'前年畅销书'的书。现在仍然有人在读前年的书，那则说明这是一本值得读的好书，对于那些只能作为'本周畅销书'的书，我想它的最终去处只能是垃圾桶。"

读《战争与和平》这种经典小说诚然会比读一本新小说花的时间多，然而它会融入你的生命，陪伴你一生，并让你为此而陶醉。当然，我并不是盲目地夸大经典小说对我们所起的作用。但是你的精神会自然而然地影响你的后代，到你老了的时候，你就能体会到它重新放射的光芒——因为你的成熟和洞察力。

用知识促进心灵的成熟

对心灵只施以教育的影响还不足以使其成熟、发展，我们还必须对它善加应用，促使它对这些教育的影响产生反应。我们去读书俱乐部、去听课、看戏、听演讲，只能获取一层薄薄的文化外衣，而它除了能给我们在聚会时增加一些谈论的资本之外，并不会带来较深远的目的或成果。

知识的存在只能有一个具体的理由，那就是促进心灵的成长。而心灵的成长则是善加运用的结果。

成熟的心灵，完善的人格，逐步获得的通达和成就感，与个人社会人格的所有较高能力相组合，从而获得猎取广泛知识的兴趣以及感情上的愉悦……这些则是自我改善的各个阶段，以及应该达到的终极目标。

《纽约时报》于1956年2月刊登了一篇对依萨克·普莱斯勒的专访。白天，普莱斯勒先生在一家百货公司做售货员，他利用四年晚上的时间完成了高中夜校教育，而后又进入布鲁克林学院夜校继续攻读大学课程，然后他又开始研读法律。在他大学一年级时写的一篇名为《快乐是什么？》的作文中，普莱斯勒先生写道：

"我最大的快乐就是取得高中文凭，进入大学，然后做一名期待已久的律师。"

"我内心的快乐随着期待的临近而增加着，依照我的努力程度，大学要在五年或更长的时间才能完成，而法律学院的学习则又需要五年。"普莱斯勒先生说。

在任何年轻人看来，这的确是个充满抱负的计划。然而依萨克·普莱斯勒进入大学的时间却是在他60岁生日后。他知道，对于一个成熟的人来说，在任何年龄都可以体验学习带来的快乐。教育必须有一套正规的课程，但它不应该局限于校园之内。

劳伦斯·洛威尔博士——哈佛大学前校长就曾说过，任何大学教育或教育培训制度教给我们的只是如何帮助自己，而我们自己则必须学会如何教育自己。教育是一种漫长的过程，它贯穿成长的全过程，它是一种心灵所需的自发运动，是一种扩充心灵发展的过程。

只要我们懂得了这些，不管我们身处生命中的哪个年龄段，都可以追求自我教育和自我改善的人生乐趣。而对于培养晚年仍乐于继续汲取知识的热情是人生中最好的投资。

美国人最喜欢的新闻评论播报员——洛威尔之父——洛威尔·托马斯博士，是我最喜欢、最敬佩的人。他睿智、喜好钻研，有着渊博的文化修养，而且涉猎范围很广。晚年时，虽然他的身体已经衰老不堪，可心灵依然敏锐如年轻时一般。诺门·文森·皮尔博士就曾谈到去拜访晚年的托马斯博士的事。两人见面寒暄后，托马斯博士就问起了皮尔博士对亨利八世的看法，并且说自己这近段时间一直很关注这位君王，还认为，历史学家对亨利八世的评说有些不公正，并且向皮尔博士道出了自己对亨利八世的看法。这使皮尔博士十分惊讶，一个年迈的老人在病房中依然任心灵随处游弋，并且穿梭了好几个世纪。

我们机体中最基本、最重要的器官就是心灵，我们要经常滋养并妥善运用它，这样才能促进它自然成长；如果我们懒于滋养而又对其缺乏运用，则会令它因发育不良而萎缩。

要想得到快乐就要乐于奉献

5年前，我的一位朋友失去了丈夫，于是，她就陷入的"寂寞"的潮水之中。丈夫去世后一个月，有天晚上她来向我求助："我该怎么办？我应该住在哪里？我又怎么样才能重新找到快乐？"

我告诉她，她的忧虑来源于丈夫的去世，她应该尽快从忧伤中挣脱出来。于是我建议她走出丈夫去世的阴影，开始新的生活和快乐。

对我的建议，她回答说："不，我不可能再有快乐了，我老了，子女也都已经结婚了，哪里还有我的容身之所？"

这个可怜的寡妇患的是自怜症，而她自己本身又不知道如何去治疗这种病症。在这5年中，我一直关注着我的这位朋友，然而结果却不尽如人意。

有一次我对她说："你不可能让别人总是同情你、可怜你吧？你可以开始新的生活，结识新的朋友，或者培养新的兴趣、爱好……"

可是她太自怜了，这些话根本说不到她的心里去。最后她决定把自己的快乐寄托在自己的子女身上，于是就搬到女儿那里去住了。

然而这却不是一个明智之举，母女俩到最后竟然反目成仇。后来，她又搬去儿子家了，结果也是以不幸收场。没办法，子女只好弄了一套公寓让她自己住，可这根本解决不了她的问题。在一天下午，她哭着来对我说，家人把她抛弃了。

她永远也无法让自己快乐起来，她只想让众人都可怜她。她是个极为自私的女人，虽然她已经61岁了，但在感情上，她仅仅只是个小孩子。

寂寞的人永远不知道，爱和友情并不是像礼物一样被人送到手上的。受欢迎和被接纳向来不是轻易就能得到的。

爱、友情和美好时光通过谈判是得不到的，我们应该努力去赢得别人的喜爱。让我们直面现实！配偶虽然过世了，可享受快乐的权利依然存在。只是他或她一定要明白，不能把快乐等同于救济金或施舍品一样视为理所应得的东西。我们要想方设法博取人们的欢迎和喜爱。

让我们来看这样一个女人，她在航行在地中海上的一艘客轮上，船上的乘客大多是快乐的夫妇和未婚的情侣。他们在海上度假，然而这位老夫人却只身一人，她61岁了，不过她很快乐，满面春风。

她这次海上出行是她第一次验证寻找快乐的方法。她也是一个寡妇，也曾经受我那位朋友一样的悲伤。然而有一天早上，她突然醒悟，感觉不能再悲伤、颓废地生活下去，于是她就下决心要摆脱过去的悲伤，投入到新的生活中去。当然这也是她经过深思才作出的决定。

丈夫曾经是她的爱和生命，可这一切都过去了。她必须让自己重新快乐起来。于是，她又重拾起往日对绘画的兴趣，让画画变成生活中重要的活动。在那段悲伤的日子里，绘画不仅陪伴她度过悲伤，而且还给她带来了独立的事业。

在最初那段时间，由于失去了丈夫这个伴侣和力量，她拒绝出门，羞于见人。她既没有出色的外表，也没有巨额的财富，在那段内心充斥着怀疑和绝望的日子里，她就问自己可以做什么，怎样做才会被众人接受，得到人们的欢迎。后来，她找到了答案——想要被别人接受，就必须努力付出，而不是乞求别人的给予。

于是，她就以微笑代替悲哀，她努力刻苦地画画，她还去主动去拜访朋友。这时候，她心里暗暗提醒自己要表露出欢乐的神情。她经常谈笑风生，从来不做过久的停留。慢慢地，朋友们开始喜欢她了，纷纷对她发出邀请，请她参加宴会，甚至社区活动中心也邀请她去办画展。

几个月后的一天，在傍晚她登上了这艘地中海的客轮。在船上，她

对任何人都非常友好，而且又保有超然的态度。她从不介入别人的私人恩怨，也不会依附某一个。很快她就成为船上最受欢迎的游客。

　　就在客轮靠岸的前一天晚上，游客们在她的船舱里举行了一次快乐的聚会。在聚会上她谦逊地回应旅程中他人的邀请。后来，这位女士又去海上旅行了几次。她懂得了这样一个道理：如果想要得到别人的友情，自己首先就得去关心生活并奉献自己。所以，无论她到哪里，她都能营造出这种和谐的气氛，博得大家的喜爱。

不良生活习惯比寂寞更可怕

　　虽然医学和药物的研究一直都有突破和进展，但现如今的这种新疾病——大众寂寞病，却依然存在。加州奥克兰米尔斯学院院长李思·怀特曾经就这个问题，向出席基督教女青年会晚宴的听众发表了一场精彩的演讲。

　　他说："寂寞是20世纪的主要疾病，正如大卫·雷斯曼所说，'我们都是寂寞的人'。人口在迅速膨胀，而人与人之间的可共患难的真情却逐渐消失了……我们生活在一个无个性的世界里，我们的事业、政府的规模、人们频繁的迁徙等很多原因，致使我们无法获得持久的友谊，然而这还只是个开始而已。"

　　怀特博士还总结说："对上帝和同胞的爱都是纯真的热情。爱可以使我们抵抗腐败灵魂的侵蚀，摆脱宇宙的孤寂，培养出精神的气氛。"

　　如果一个人想要摆脱寂寞，就必须努力创造出怀特博士所说的"精神气氛"。不管我们身处何地，都应该努力营造温暖和友爱的气氛。具体来说，如果我们想要克服寂寞，就要停止自怜，就应该去结交新朋友，与他们分享我们的快乐。当然这需要勇气，然而我们很多人都做到了。

调查结果表明，夫妻双方通常女人比男人的寿命要长。从表面上看，女人在失去丈夫后，很难再去开拓新的生活。而男人则会由于工作的关系强迫自己努力进取。通常从自然规律上来说，他们比女人强壮，更有进取精神。而女人则通常要尽自己女性的职责——照顾好自己的家庭和家人。可在守寡后，她并没有独自走完自己的人生道路并愉快地走下去的准备。可是，只要她肯学会成熟，而不只是空度余生，她是能够做到的。

当然，寂寞病并不只是寡妇或鳏夫的专利，单身汉，甚至选美皇后也有患这种病的可能，都市里的陌生人或乡间教堂的独奏者也备受寂寞的青睐。

几年前，一个年轻的单身汉来到纽约打拼天下。他外表俊朗，接受过很好的教育，并且还周游过各地。进入纽约大都市后，白天他有事做——参加销售会议，可是晚上却逃不过孤独寂寞的侵扰。他不习惯一个人吃饭，也不愿意一个人去看电影，他也不想给城里的已婚朋友添麻烦，自然也不想要自动找上门的女孩。

很明显，他想要的女孩是个好女孩，不是从"格林威治村"酒吧里出来的，也不是"寂寞的心"俱乐部的会员，或者社交介绍服务中心介绍的那种。于是，他只好在这个他谋求发展的大都市里挨过了一段孤寂的时光。

我知道城市或许比小乡村更让人感觉寂寞，也知道一个男人要想在城市里被人接受、受人欢迎，就必须付出比在乡村时更多的努力。他必须要提前想好业余生活的兴趣，规划好要去哪些场所。他必须自己去主动争取那些情趣相投的人的欢迎。

刚进入都市的人，应该有许多事情可做。他可以在教会或符合自己兴趣的俱乐部里寻求朋友；也可以在成人教育班上找志同道合的人；当然独自去餐厅吃饭或者泡吧是不可能找到友谊的。他若想找朋友，只能自己想

办法解决。

几年前，我认识两个在纽约市东区合租一套公寓的女孩。这两个女孩都很可爱，也都有一份不错的工作，同样，她们也渴望被人接纳、受人欢迎。其中一个女孩，她很认真地对待生活，而且为自己制定了周密的计划。她参加了一个教会，每逢活动都会出席。她参加讨论会，还选修了怎样改进人格的课程。对于生活圈子里的好人，她都努力去结交。她适当地去娱乐，谨慎地安排社交生活，尽量不让别人把她与哪个男孩子联想到一块。她积极乐观地生活着，努力去换取健康丰富的生活。

当然，她也经历过初到大城市来的孤寂，只是她知道如何采取行动去治疗这种寂寞。

现在，她嫁给了一个很有实力的年轻律师，为自己"造就"了幸福的生活。那么另一个女孩呢？她也寂寞，可是却选错了道路。她虽也结交朋友，可她的朋友们却都是泡在酒吧里的人。最后，她不得不加入一个俱乐部——戒酒俱乐部！

要体味快乐就要清扫心灵的阴霾

一直以来我都坚信大多数人是天性善良的，当我发现自己怀疑这一点时，我就会去书房打开抽屉，读读梅伊·卡莱太太写给我的一封珍贵的信。上面是这样写的：

"在我12岁那年，父亲为了帮一位朋友保住农场，借给了他1800美元。几年过去了，那位邻居依然没有还钱，虽然他已经有偿还的能力了。

"有一次，那位邻居在喝醉酒之后，突发奇想，他认为，如果把我父亲弄死就不用再还债了。于是，在我父亲晚上开车进城的时候，他故意开车向我父亲的车子狠狠撞去。结果我父亲被撞断三条肋骨、一只胳膊，而且另一只手也严重受伤。那位邻居却把我父亲丢在路上，一个人扬长而去。

"有个城里人得知此事后，就出门找到我父亲，把他带进城，替父亲找医生。正在父亲用手扶住肋部坐在路旁等待的时候，那个喝醉酒的邻居又出现了，这次他又一脚踢在父亲的下巴上，这不仅使父亲的下巴受伤，还使一些腺体受到损害，并且涉及体内的其他一些腺体。

"没过多久，医生带着警察赶到了。可我父亲却没有让警察把那个邻居抓走，甚至还为他辩护说，他喝醉了才搞出这事的。他说，如果那个人被逮捕的话，他的家人会有更多麻烦的。

"父亲在城里的一家医院接受治疗，可是一年半之后还是去世了。就在他去世之前，他还把我们5个子女叫到身边，他握着我的手，嘱咐我说：'答应我，永远不要把邻居的任何一个孩子视为仇敌，让他们像你们一样快乐成长，长大后成为受人尊重的人。孩子，记住，心中只有仇恨的人是不会快乐的。'

"对于一个小孩子来讲，这的确是一个最难坚守的承诺。只是我高兴的是，我做到了。30年来，我一直信守对父亲的承诺。现在，那个邻居的孩子是我最要好的朋友。"

这位父亲如上帝般有这么强烈的同情心和谅解心！邻居用了他的钱，使他丧失了生命，可他却不怀恨在心，甚至还要求自己的家人和孩子不要因此而怀恨下去。就连小孩子都能告诉你人性中的丑恶，比如自私、愚蠢、贪婪、自负。然而只有拥有成熟的洞察力的人才能感知人类善良的根本，才能挖掘出人性中蕴涵着的巨大资源和能力。

加州葛兰岱尔的威拉德·柯罗斯莱医生也给我讲了一个他在医学院三年级的时候所经历的一件既有趣又有意义的事。院长要在一个星期六的上午进行有关药理学方面的重要演讲，而柯罗斯莱却逃了出来与一个漂亮的金发护士去野餐约会去了。当他准备给女友朗诵诗歌时，却抬头看见了与女儿一同出来采药的院长。柯罗斯莱医生说："我的眼光那时刚好与院长的眼光相遇，我吓坏了，站也站不起来，更说不出话。当时，他只是看了我一眼，就皱着眉头走了。他一离开，我就六神无主了，对野餐和金发女友再也提不起兴趣了，满心想的都是三年医学院的生活就要结束了，我就要被开除出校了。

"回到交谊厅，我就把此事讲给了我要好的哥们儿，他们都认为事情很严重。有人还拍拍我的背说'啊，你是不是不想当医生了'，还有人问我，我的书要多少钱才肯卖。就这样，我极度恐慌地过完了我的周末。星期一我决定找院长当面谈谈。

"我找到他，说'院长，我是为我星期六的无礼表现来向您道歉的，当时，我遇见您时，既没有站起来，又没有向您问好，我太失礼了'。好像院长觉得我说话很可笑，于是就回应我道'威拉德，不用担心。我年轻时也干过那样的事。对了，你那天玩得怎么样'。

"直到这时，我那颗悬着的心才总算是落到了肚子里。我真不知道原来院长这么有人情味，他理解年轻人对生活、工作和娱乐的态度。没准这也就是他能成为院长的原因吧！"

是的，柯罗斯莱医生说得没错，世上的好人就是通过培养自己的成熟，才体味到快乐、获得成功的。

衰老并不会剥夺你快乐的权利

不久前，我的一个朋友对我说："我害怕的倒不是衰老这个事实，我害怕的是人老时表现出来的一系列令人不快的行为：自怜、抱怨、软弱、变成'老小孩'、喜欢追忆往事，如果是这样的话，还不如让我早些死掉呢！"

很多人都有着他这样的顾忌，然而我们未必会出现这些症状。如若不是患了老年痴呆症，我们为何不让80岁的老人保持20、30岁或者40岁的优雅、风趣和价值呢？让我们来看看一些世界级的杰出人物是怎样变得成熟而不是变老的真实事例。

英国哲学家伯特兰·罗素是一个身材矮瘦但却性情豪迈的人，你知道吗，他在90多岁抱怨的竟然是他不能一口气走完超过5英里的路！他说："据我观察，大多数人在退休没多久后就因无聊而死去了。一个生性非常活跃的人，即便他相信轻松地度过一生是件很快乐的事，但他仍然发现没有可供他发挥特长的生活是非常难挨的。我承认那些善于享受人生的人更容易活下去，可是一个生命力非常旺盛的老年人要想活得快乐，就必须保持活跃。"

我们再来看看曾经缔结《凡尔赛和约》的意大利已故首相维多瑞奥·艾曼纽尔·奥兰多。即使在他94岁的时候，依然身兼数职——既是意大利议会议员、一家法律顾问公司的主持人，还是律师公会的理事长和罗马大学的教授。而且他每天能工作10个小时之久。

外科医师拉斐尔·巴斯安里利博士在90岁时，每天还都坚持一个即使年轻人都不能坚持的工作计划：每星期他都会在自己的私人医院里给病人动三次手术，每天都安排固定的上班时间来进行研究工作，他自己驾车出行甚至独自驾驶私人飞机。

这个计划他一直坚持到第二次世界大战。巴斯安里利博士是精神战胜肉体的成功例子，因为从30岁起，风湿性关节炎、胃病和失眠症就一直在折磨着他。

哲学家班尼狄特·柯罗斯尽管曾患过中风，但在89岁时依然每天坚持工作10个小时。

意大利的另一位首相法兰西斯·尼蒂，尽管已经是位百岁老人，他也每天坚持工作10个小时。

贺德伯爵——英国已故国王乔治的医生，在80岁的时候每天还要工作长达12个小时之久，更可贵的是他在长时间工作之后依然有精力整理他的花园和创作诗歌。

一些老年女性朋友也同样让人敬佩，她们也有着男性般的活力和热情。英国科学院临床心理学部门的第一位女负责人艾丽丝·海伦·鲍尔博士，却住在不提供水、电和煤气的一间平房里。在她84岁时，依然坚持天天工作，她每天下午睡一个小时的午觉，晚上则会一直工作到深夜2点钟。

著名翻译家奥莉维亚·罗塞蒂在80岁的时候竟然每天工作16个小时，睡眠时间只有6个小时。还有美国的伟大指挥家亚图罗·托斯卡尼尼，他是国家广播公司交响乐团的指挥，他一直工作到87岁，即1954年时，方才退休。

诗人卡尔·桑德堡80岁时还能不断地创作佳作。摩西祖母在80岁时才开始学画画，后来成为受众人欢迎的画家，直到96岁的时候她的手还不离画笔呢。

芝加哥大学生理学荣誉教授和国家科学院医院研究中心负责人安东·朱利斯·卡尔逊博士，虽然已经80岁高龄了，可每天依然花9至10个小时研究老化的问题。而且这10个小时只是他每天工作时间的一部分（注：他每天要工作15个小时）。

世界上这样的人太多了，多得我无法将他们一一在此罗列出来。也许我们会说这些杰出人士的例证不能算什么，因为他们只是特例，他们是天才。那么下面就让我们看看那些没有什么天分或者非常普通的人物——那些不想因为年迈而变成废物的人吧！

比如，住在洛杉矶的琼斯顿老爷子是个木匠，在他100岁的时候每天还在干着自己的老本行。他说把100磅重的盖屋顶用的材料搬到20英尺高的架子上根本没有什么大不了的，他还说自己从来不知道生病是什么滋味。

又如，家住宾州特拉克斯维尔的里昂·华兹特太太已经70岁了，她身材瘦小，只有96磅重，常年忍受着神经炎和静脉肿瘤的疼痛，为此还做过大大小小的手术共13次。即便是这样，她依然每天心情舒畅，而且整天忙得不亦乐乎。多年来她一直坚持把一套有9个房间的平房收拾得干干净净、有条不紊，而且还打理大花园里的花草树木，并亲自下厨。她烘制的糕点远近闻名。

新罕布什尔的威廉·霍尔，在100多岁的时候还在帮儿子打理农场。在儿子照顾乳牛的时候，老父亲就做饭忙家务。

住在缅因州马奇亚斯波特的103岁的尤妮丝·巴尔马太太对如何享受晚年生活的心得是："保持忙碌，让自己没有时间去考虑自己的烦恼和病痛。"

这些人通常都比大多数人活得时间长，然而却并没有出现老朽、"老小孩时期"或大部分老年人常有的让人厌恶的现象，相反，他们亲生经历了马丁·甘伯特博士提出的"人生第二高峰"——70岁以后再现的一种活力。

甘伯特博士说："老年阶段有着他们独有的创造力和冲动，直到最近我们才发现……我认为，只要我们能挖掘出老年阶段这有待开发的宝藏，那么每个人的生活都会变得更加丰富、更加快乐。"

老年时期有属于自己的幸福

保持忙碌是所有百岁老人共有的一个特征。能列入邓巴兄弟调查报告单的人，每一个在退休后都会再找份事做，让自己处于忙碌的快乐之中。他们推测："迫使这些老人不能继续从事他们的工作的是退休和强制休闲制度。可是他们在65岁以后依然身体健康，依然希望有工作，而他们的健康也正来源于他们不断地工作。"

于是，所有的百岁老人从某一份工作退休之后，又找另一份工作来做。从感情方面来看，这些百岁老人性情温和、心情愉快、没有什么忧虑、基本上没有什么疾病，他们中没有一个脾气暴躁、性情反复无常，或者刁钻任性、不好相处的。他们基本上从来不为健康担忧。有一位百岁老竟然从来没有看过医生，所以她不知道她医生的名字。更有甚者一个113岁的老人在113岁才第一次感冒，而且她之所以感冒是那天她出门的时候淋雨了。

这些百岁老人有的也抽烟、喝酒，而且在饮食方面大不相同，可是他们都知道节制，都懂得适可而止。在这些接受调查的百岁老人中98%的人是已婚的，而且也很少有人离婚。他们生育的子女平均每对3.9个，比美国的平均水平多1.6倍，然而他们并没有把养育孩子当作麻烦的事，也从来没有抱怨什么，相反，他们把一切当作乐趣。

百岁老人们的另一个特征是——坚持独立自主。他们中大多数人都不与子女们住在一起，他们更喜欢去帮助后代而不是要后代赡养他们。他们终日依然为生活奔忙着，根本没有时间考虑有关死亡的事情。他们中的大多数谈起对未来的憧憬就好像他们还能再活几十年似的。

他们善于接受新思想也乐于改变旧观念，他们有很多朋友，而且拥有包容的人生态度，生性幽默，很少去缅怀往日的美好岁月。

总而言之，邓巴的有关百岁老人的研究给我们带来希望：不管我们是否能活到100岁，我们都可以尽力要求自己去尝试应有的人生态度，去享受幸福的老年时期，而不是困苦地捱过它。

根据生理学家的研究可得知，我们身体的各器官的老化程度是不相同的。马里兰州巴尔的摩市医院的纳森·萧克博士就这一情况作了一项研究："老化并不是一蹴而就完成的，它是从我们停止成长的那一刻起，慢慢开始的。"

加拿大麦基尔大学的柏瑞尔博士对此也有研究，他说："任何人都不会一下子整个人全都变老，一个65岁的人或许是40岁的心脏、50岁的肾脏和80岁的肝脏的组合体，一个90岁的人看上去根本没他的年龄那么老，没准他有着30岁人的神经传导速度、60岁人的肾脏功能、80岁的感知能力和90岁人的新陈代谢功能。"

我们更不用为人到老年就会逐渐失去智慧而担忧。因为萧克博士与他的助手们已帮我们论证出：拥有高度智慧的人，随着年龄的增长，他的智慧非但不会减弱，反而会增加；而只有那些愚蠢的人才会随着年龄的增长变得越来越愚蠢。

没错，我们的反应速度会在60岁以后逐渐减弱，可是心智的作用却不受年龄的影响。我们的肉体几乎在刚会走路的时候就已经开始老化了，可是智力却会直线上升一直到40岁，然后再慢慢增长直到60岁。

柏瑞尔博士说："人甚至在80岁的时候，他的智力水平依然能如35岁时那样好。虽然这时候心智会与35岁不同，但其所具有的价值并不比35岁时低……相当多的人有着这样的错误意识：他们认为自己的学习能力会随着年龄的变大而降低。而事实上，是他们自己把自己定了型，不肯再接受新事物的缘故。俗话说'刀不磨要生锈'，人也一样。只有不停地使用，人们在老年时候的心智才会如年轻时一样机敏。"

直到现在对于人到老年就会成为自己和社会的负担这一看法，仍然没有任何科学论据来给它证明。或许在老年的时候，我们身体的某些机能会有所损害，但并不是全部；疾病虽然会经常光顾我们，但它有时候也没有放过年轻人，不是吗？或许我们会遇到经济或账务上的困难，可在人生的任何阶段中我们都会有这样或那样的问题要面对和克服，即使在年轻的时候也不例外。

美国老人现象研究专家卡尔博士说："相当多的人都白白地浪费了自己

的成年时期，这是件很可惜的事情。"我们放任自己偏信错误的观念，陷入错误的竞争里，我们坚持着不合时宜或偏激的见解，以至于让自己错过生命的巅峰时期，而所剩的只是一具空空躯壳。然后，我们只能做一个令人讨厌的、愚昧无知的、孤苦无助的老人，在最后的有生之年中饱受成年幼稚病和各种过敏症的折磨。

可以毫不怀疑地确定，老年时期是我们生命过程中最丰富的时期：是供我们享受经验和智慧积累成熟的丰收时期，是享受由于年轻时的奋斗、抱负和压力而失去的一些生活的时期，概括地说，就是享受成熟的回报时期。

科学的发展使许多顽疾都得以治愈，在过去的短短半个世纪里，它就使人类的寿命延长了20年左右，而且它依然没有停止步伐，仍旧不断地发展创造以帮助我们享受和利用这些延长出来的寿命。

感谢工作，它让我们永葆青春

《黄金岁月》一书的作者，托马斯·柯林斯是一位研究退休问题的权威人士，他是芝加哥《每日新闻报》的专栏主笔，他的专栏大概有90家左右的报纸联合刊载。他认为强迫一个人在65岁退休是一种"残酷的行为"。他说：

"经过7年来对65岁左右的人进行采访，我发现，在美国，即使把强迫人退休的制度施用于马或狗的身上，也是一种无法容忍的残酷行为。至少，马在临死时会被领到有草吃的地方，而每一只狗也几乎都能自然死亡。

"然而这种残酷不只是在于它会对生存造成威胁……对一个活到65岁的人来说，这也是对他能力的怀疑，以至于对他的精神造成不可治愈的伤害。

"因为，一个人一旦被认定他已经很老，老得不能再做什么事，将是非常可怕的。试想，如果一个人被剥夺了工作、收入和自尊，这有多么恐怖。除非我们现在就彻底废除65岁退休制度。"

政府却从来不向这些极力主张废除这种退休制度的人——那些65岁的工作者们征询意见！很明显的一个事实是，几乎所有正在工作着的人都不愿到65岁时就被强迫退休！单就印第安纳州，我们就发现90%的人都希望在65岁以后能继续工作；在一些大工厂里，这个比例还要再高五个百分点。

令人欣慰的是，工商业界对于雇用老年人所持的态度还比较积极，他们中的很多人都到外面为自己找到了份工作。

茱丽艾达，亚瑟是一位社会福利方面的权威人士，根据她的调查显示："我们从1950年的普查报告中看出，有一个最值得注意的就业事实，那就是有几十万超过75岁的老人仍在继续工作，他们之中很多都属于没有雇主的自由职业者。"

1954年，首都人寿保险公司公布了一项报告：65~69岁之间的男人有3/5就业；70~74岁之间的男人也有2/5就业；75岁以上的男人仍有1/5在工作。他们大多从事的是自由职业。这些数字再一次有力地证明了这样一个事实——工作的能力和意愿并不在65岁生日时突然丧失。

只要有能力，大多数的人仍然想继续工作，而不愿因为某个养老金计划而使得他们到时间就退休。越来越多的工作者对强迫退休制度的不公平性提出抗议，并且已经收到良好的效果，一些公司延长了退休年龄年限或使它较具弹性。

不过可惜的是，这样的公司毕竟还是少数。还要多久、要怎样做，人的工作权利才能不再因为年龄的增长而失去，不再不顾他的需要、能力和

意愿而被无情地剥夺掉？

在不久前于纽约州举行的一次老年问题研究会中，杰出的政治家伯纳德·巴鲁克曾给大会拍了一封电报，并被当场宣读。电文中，巴鲁克先生强烈呼吁废除强迫退休的制度，他说这种制度"对那些虽然年龄很大，但仍然愿意而且有能力继续工作的人来说不是恩惠，是否应该退休不应从年龄而应从能力的角度来考虑"。巴鲁克先生说："年纪越大的人越是已经获得了无法取代的丰富经验资产的人。"

已经83岁还在担任密执安州老年问题研究委员会委员的亨利·柯特斯博士是美国在这方面的权威人士之一，他的话直指对老年人就业的歧视：

"强迫退休是存在于工商业界的一项严重的失误，因为它使许多最佳的人才闲置浪费，而且也使受雇者晚年时期想要做好工作的热情受挫。无论对有能力而且愿意继续工作的人还是对纳税的大众都是一个严重的错误。工作的权利是一项基本的人权，65岁退休制度的存在是一项基本的人类错误。"

说得精彩，柯特斯博士！愿策划者和官僚们能来听听反对"强迫退休法案"的睿智和强烈的呼声。

"65岁退休的制度规定，"柯特斯博士又说，"是独断的、专横的，不管从生理学还是从心理学上来讲，都没有什么理论能证明一个人的工作能力会在65岁时突然失去。任何年龄都可能变得软弱，这因人而异。如果我们停止动手工作，双手很快就会失去它的灵敏；如果我们停止用脑思考，大脑就会很快衰老。每一个工作者都应该由自己选择放弃工作的时间，在他自认不能胜任他的工作的时候。"

工作是年轻人所无法想象的快乐之一，那是一种成熟的快乐。不管是体力工作还是脑力工作，都是自然赋予我们的，使我们不断成长而不变老的最神奇的一种力量。

把注意力从烦恼上移开

罗根·史密斯说过这样一段话，言简意赅，他说："人生应该有两个目标，第一，是得到自己所想的东西；第二，是充分享受它。只有智者才能做到第二步。"

要是你想知道怎样将在厨房水池边洗碗变成一次难得的人生经历，那么请你读一读波姬·戴尔的《我希望能看见》，这个女人几乎失明了50年，她在书中说说道："我只有一只满是疮疤的眼睛，只能靠眼睛左边的小洞来观察世界。我看书的时候，必须把书贴近脸，然后努力把眼睛往左边斜。"

就是这样一个可怜的人，也拒绝别人的怜悯，她不要别人以为自己跟别人有什么不同。她小时候渴望跟其他孩子一样玩跳房子，但由于看不见地上的线，不得不在她们回家后趴在地上，将眼睛贴到线上看来看去，牢牢记住玩的地方。不久她就成了跳房子的高手。读书的时候，她把大字印的书紧紧贴在自己脸上，不管眉毛碰到书了没有。就是她，得到了常人所不能的两个学位：明尼苏达州州立大学学士学位和哥伦比亚大学硕士学位。

在明尼苏达州双谷的一个小村子里时，她就开始了自己的教书生涯，通过不断的努力，她成为了南达科他州奥格塔那学院新闻学和文学教授。她在那里教书13年，工作之余还在一些妇女俱乐部发表演说，还到一家电台主持读书节目。她写道："我脑海深处，常常怀着完全失明的恐惧。为了打消这种恐惧，我采取了一种快活而近乎游戏的生活态度。"

奇迹总会发生的，1943年，她52岁的时候，通过手术使视力提高了40倍。当一个全新的世界呈现在她的面前，她发现这个世界是这么的可爱，这么令人兴奋，哪怕让自己在厨房水池前洗碟子，只要能看到这个世界，她都是开心的。她继续写："我会玩洗碗盆里的肥皂泡。伸手进去，抓起一把泡泡，迎着光举起来，每个小泡泡里，我都能看见小小的彩虹散出灿烂的色彩。"

　　所以要想得到快乐，请记住："每天一早想想你得意的事情，不要将注意力集中在烦恼上。"

五

不气馁，人生就是永不放弃

——只要朝着目标走，我们就在前进

一个希望成功的人，确定目标是一个很重要的问题。当然，目标也不是一时一事就确定下来的。随着时间、条件的变化，目标必须进行必要的修正。同等重要的是，任何目标都是靠一步步的实干去实现的，缺乏这样的基础，你就不可能实现自己的目标。

自省让我们的心灵更有力

罗伯·怀特——哈佛大学的心理学家在他的一本名叫《进步的生活：性格自然成长的研究》的书中就谈到在我们身边流行的一种观念，他说："每个人都要调整自己来适应周边的坏境，这种观念使人们错误地认为，得体就是尽自己最大努力来适应外界固有的生活方式、规则以及限制，或者屈从于成熟感的压力。然而这样做的后果只会让人迷失方向，丧失成长、自身的创造力和发展的潜力。"

对于怀特博士的观点我很赞同。现实生活中很少人有标新立异的勇气，很少人知道自己能代表什么。整个社会和经济群体支配着我们的思想和行为，使得我们必须和周围的人有着相似的生活和思想，否则的话就患得患失，周身不舒服，甚至茫然，不再喜欢自己。

我们的一个女学员在几年前就曾经有类似的困惑。她的丈夫是位律师，野心勃勃，是个积极进取、独断专行的人。他们的社交圈子是那些社会地位很高的名流人士。这位太太看上去文静、谦虚，然而她生活圈子里的人并不欣赏她所具有的优点。为此她开始变得忧郁，慢慢地失去了自信，她觉得压抑、卑微，总觉得自己达不到别人的要求，也因此越来越不喜欢自己了。

其实她根本没有必要为此而苦恼，她应该愉快地接受自己，而不是努力改变自己去适应环境。她应该懂得"天生我材必有用"的思想，她应该明白人应当按着自己的性格做事，而不是照搬别人。

如果她想重塑自己，首先她就不能以别人的标准来衡量自己，在生活中建立自己的价值观，然后她要学会独立。不喜欢自己的人往往喜欢挑自己身上的毛病。虽然说适度地检讨自己能使身心健康，而且能够提升自我，但决不能让它成为一种强制性的观念，否则的话那只能打消我们的积极性，阻碍我们的行动。

用正面的心态看待一切

我们每一个人，在任何一瞬间，都站在两个永恒的交汇点上，这一点已经永远地成为过去并延伸到无穷的未来，但我们不可能生活在两个永恒中间，连一秒的持续时间也没有。要是妄想做到这一点的话，就会摧毁我们的身体和精神。所以，我们可以做到的，就是为生活在这一刻而自豪。

罗勃·史蒂文生写道："从现在一直到我们上床，不论任务有多重，我们每个人都能支持到夜晚的降临。不论工作多么艰苦，每个人都能做自己当天的工作，都能很开心、很纯洁、很有爱心地活到日落西山，这就是生命的真谛。"

他的话很有道理，生命对我们的要求就像他描述的那样。但是，住在密歇根州沙支那城的薛尔德太太，在不知道"只要生活到上床为止"之前，确实精神极度颓废、崩溃，差点自杀。薛尔德太太对我说：

"1937年我的丈夫死了，我又几乎身无分文，这令我十分恐慌。我给以前的老板奥罗区先生写信，请求他能让我做回我以前的工作。我必须告诉你的是，以前我的工作是推销《世界百科全书》之类的书籍。两年前，我丈夫病了，我卖了汽车。现在，我勉强凑足了分期付款的钱买了一辆旧车，打算重操旧业，靠卖书为生。

"本来我以为，繁忙的工作会抵消我的颓废和不安。可丈夫毕竟不在了，我要一个人驾车，一个人做饭吃，一个人生活，这所有的一切令我无法忍受。况且，有些地方根本就卖不出去书，哪里还有什么业绩。虽然分期付款买车的钱数并不多，但我却很难付清。

"1938年的春天，我开车来到密苏里州的维沙里市。这里的路很不好走，学校又都很穷，业绩更少了。我一个人在那里孤零零的，十分沮丧。我觉得生活没什么希望，根本看不到成功的出路。我每天早上还要面临分期付款的车钱、房租、食物，万一有个病啊灾啊什么的，那更无异于天塌下来了。我绝望得差点自杀。之所以最终没有自杀，那是因为担心我的姐姐会难过，而且她又没有钱再支付我的丧葬费。

"有一天，我读到一篇文章，就是这篇文章让我有勇气活了下来。这句话我永远感激，'对一个聪明人来说，每天都是一个新人生'。这句话足以令我精神振奋，我把这句话打印出来，贴在汽车前面的挡风玻璃上，为的是我开车的时候能随时看见它。我发现，每次只活一天一点都不难，忘记过去，不想将来。每天早上起床时，我都对自己说'今天又是一个新的人生'。

"就这样，我很快摆脱了孤寂和恐慌。现在我很快乐，也算得上成功，对生命充满热情和关爱。我知道，无论生活中遇到什么，我都不会再害怕。因为，每次我只要活一天，而'对一个聪明人来说，每天都是一个新人生'。"

你能看出来下面这几句很现代的诗是谁写的吗？

这个人很快乐，也只有他快乐，因为他能把今天看成是自己的一

天；他在今天里能感到安全，能够说："不管明天有多么糟糕，我已经度过了今天。"

这几句充满现代精神的话语，却是基督降生的30年前，古罗马诗人何瑞斯所说。人性最可悲的地方在于，人人都不去生活，却梦想着天边奇幻的玫瑰园，而无视窗口的玫瑰在悄悄绽放。

心态积极，可以点石成金

伟大的心理学家阿尔弗雷德·安德尔通过深入研究人类行为和人类潜能后说："人类的一个最奇妙特征，就是具有把负变正的能力。"

下面这个故事是关于瑟玛·汤普森的，她是我认识的一个人，她的经历既有情趣又有意义。

"战争年代，我丈夫驻守在加州莫嘉佛沙漠附近的陆军训练营里。为了离他近一点儿，我也搬过去了。我很不喜欢那里的环境，甚至可以说深恶痛绝。尤其是我丈夫出差的时候，我一个人住在破屋里，感到前所未有的苦恼。更让人受不了的是沙漠里的天气，哪怕在非常大的仙人掌阴影里，也有125华氏度的气温。除墨西哥人和印第安人之外，我找不到可以说话的人，但即便是这些人，也不会说英语。那里整天刮风，吃的食物、呼吸的空气都是令人讨厌的沙子。哦，沙子！

"曾经，我的生活也因烦恼而变得糟糕。我写信告诉父母，我再也无法忍受了，我想回家，马上回家，一分钟也不想待了。父亲的回信只有短短两行字，但它们却永远留在我的记忆里，我的人生因此而改变。这两行字是'两个人透过监狱的铁栏，一个人看见烂泥，另一个人看见星星'。

"这两行字我反复念了几遍，心中充满愧疚。我暗暗下决心，一定努力发现自己身边的美好，我也要去看星星。

"我开始尝试着跟当地人交朋友，他们表现出令人惊讶的友善和好客。我刚一表示出对他们编织的布匹和制作的陶器有兴趣，他们马上毫不犹豫地将自己喜欢的东西送给了我，甚至不肯卖给观光客。再看见仙人掌和丝兰的时候，我发现它们的形态如此令人着迷。我还学习了很多有关土拨鼠的事情。我还踏着沙漠上的余晖寻找贝壳——因为这里300万年前是沧海。

"让我产生变化的是什么力量呢？莫嘉佛沙漠没有变，印第安人没有变，是我在变，我的心态变了。现在的心态，让以前在我看来令人沮丧的境遇变成了现在的刺激和冒险。这个全新的世界让我感动、兴奋。这次经历，被我写成小说《光明的堡垒》……从监狱的铁栏往外看，我找到了星星。"

瑟玛·汤普森不仅找到了自己天空里的星星，还找到了耶稣基督降生前500年希腊人中流行的真理："最好的，即最难得的。"

挑战是我们的快乐之源

贝多芬耳聋之后，反而创造出更好的曲子。所以，有时候缺陷可能对我们还有意想不到的帮助。

写这本书的时候，我曾请教芝加哥大学的罗伯·罗杰斯校长如何活得快乐。他说："我一直按照一个忠告做的，这个忠告是已故的西尔斯公司董事长罗森告诉我的。他告诉我说'如果命运只给了你一个柠檬，试着把它做成一杯柠檬水'。"

这是一名伟大教育家的方法，傻瓜的想法恰恰相反。要是他发现上天只给了自己一个柠檬，他会沮丧地说："命运如此不公，我没有别的选择了。"然后就拼命诅咒世界，让自己陷入自怨自艾中。聪明的人拿到一个柠檬，他会这样想："这个不幸的经历让我学到了什么？我该怎样改变现在的处境？把这个柠檬做成柠檬水怎样？"

到了20世纪，哈瑞·爱默生·福斯狄克重新阐释了这句话："最重要的快乐不是享受，而是胜利。"不错，我们的胜利就出自我们的成就感，也出自我们把柠檬做成了柠檬水。

佛罗里达州有位快乐农夫，他甚至能将"毒柠檬"做成"柠檬水"，我有幸拜访了他。他刚买到自己的农场时，心里很沮丧。这个农场条件很差劲，种不了水果，也养不成猪，到处是白杨和响尾蛇。不久他就有了一个好想法，他所拥有的变成了财富，他将响尾蛇做成罐头。这样干确实令人吃惊。几年前我去拜访他的时候，前来参观响尾蛇农场的游客多达两万人。他的生意获得了巨大的成功：蛇毒送到各大药厂去制作成防蛇毒的血清；蛇皮高价卖给皮革商，做成女人的鞋子和皮包；蛇肉做成罐头，远销世界各地……我买了一张有当地风光的明信片寄出去，发现这个村子已命名为佛罗里达州响尾蛇村，这就是专门纪念这位将"毒柠檬"变成甜美"柠檬水"的农夫。

我经常在全国各地旅行，有幸见到很多具有"把负变正的能力"的人。我已经在纽约主办成人教育班35年了。我发现很多人为没上过大学而遗憾，似乎将没有上大学当成一项很大的人生缺陷。这样想当然是不对的。我认识很多成功人士，有的连中学都没读完。因此，我经常给学员讲一个人的故事，这个人连小学都没毕业。当时他家里很穷，连父亲葬礼都是靠亲戚朋友的帮忙。父亲死后，全家的经济来源就是母亲在制伞厂做工赚来的那点钱。通常，母亲工作了10个小时之后，还把活带回家，一直做到夜里11点。

　　这个艰难环境培养出来的男孩，有次去参加当地教堂举办的业余戏剧演出。这令他很兴奋，他决定去学演讲。慢慢地，他靠自己的演说能力在政界崭露头角，30岁时就被选为纽约州议员。这时候他对这个职位还没有思想准备呢。看着那些需要投票表决的冗长复杂的法案，像看印第安文字一样，他感到惶恐和不安。他成为森林问题委员会委员时，依然惶恐和不安。他之前完全没想过会走到这一步。他成为州议会金融委员会委员时，更惶恐和不安，他甚至还没有银行的户头呢。他对我说，当时的紧张让他几乎辞去职务，只是不敢让母亲知道自己的失败才作罢。不能让这种绝望持续下去，他决定改变状况。于是他每天苦读16个小时，想要把自己无知的柠檬变成渊博的柠檬水。通过坚持不懈的努力，他终于从一名地方政治小人物变成闻名全美的著名政治家，因政绩突出，被《纽约时报》誉为"纽约最受欢迎的市民"。这个人就是艾尔·史密斯。

　　又过了10年，艾尔·史密斯已经成为纽约政坛最有影响的人物之一，创造了一个空前绝后的记录——四次当选为纽约市长！1928年美国大选时，他作为民主党候选人参加竞选。同时，哥伦比亚大学、哈佛大学等六所大学还授予他名誉学位——这就是一个连小学都没毕业的人的故事。

　　艾尔·史密斯告诉我，要是没有当年那每天16小时的学习"把负变正"的话，就不会有后来的一切。

智者从损失中获益

　　《十二个以人力胜天的人》的作者，已故的威廉·波里索曾说过："人生中最重要的不是将收入当作资本，傻子都会这样做的。重要的是从损失中获益，这可是需要聪明的才智，也正是智者和傻瓜的区别。"他说这段话的时候，刚经历了一次火车事故，失去了一条腿。我还认识一个断了两条腿的人，也把负变成了正，这个人就是本·福特森。

我走进佐治亚州一家旅馆的电梯时，看见他坐在电梯一角的一辆轮椅上。电梯到了他要去的那层停了下来，他问我能否让一下让他转动轮椅，他说："真抱歉，真是太麻烦你了。"说话的时候，他脸上洋溢着温暖的笑。

回到房间，我满脑子都是这个开心的残疾人。于是我就去拜访他，希望他给我讲讲他的故事。

他告诉我："1929年，我砍了一大堆准备用来在菜园里做支架的胡桃木树枝装在福特车上，驾上车子往回走。忽然一根树枝滑到车下，被引擎卡住了，车子一个急转弯就冲出了公路。我被甩到一棵树上，脊椎严重受伤，双腿也麻痹了。

"当时我才24岁，从此以后我再也没站起来。"

人生才过去了24个年头，却被判终身坐在轮椅上，他怎样接受这个事实的呢？的确，刚开始他内心也充满了愤懑，痛苦不已，整天埋怨上天的不公。时光流逝，他发现愤怒除了让自己脾气更糟之外，没有一点成就。"我终于意识到，大家对我一如既往的好，也很关心我，我理当有所回报。"

我问他，经此一劫，他是否还觉得当年的遭遇是可怕的、不幸的。他马上回答说："不，有时我甚至庆幸有这样的经历。"他说，走过最初的震惊和悔恨，他开始了新的人生。他不停地读书，对文学产生了很大的兴趣。14年里，他至少阅读了1400多本书。书带他走进新的境界，他的生活也因此丰富起来。他也开始听优美的音乐，以前在他看来非常烦闷的交响曲，现在则令他十分感动。最大的改变是，现在他有了足够的时间思考。他说："我第一次发现，我能仔细地打量世界了，也有了真正的价值观。我懂得了，以前我追求的很多东西，大部分都是没价值的。"

阅读也让他对政治产生了兴趣。他开始研究公众关心的问题，然后坐着轮椅四处演讲，还认识了很多人，人们也逐渐了解了他。虽然现在他仍然坐在轮椅上，但已经是佐治亚州州政府的秘书长了。

尼采是这样定义超人的："必要的情况下，不仅要有忍受一切的能力，还要喜爱这一切。"越研究成功者，我就越深刻地觉得，他们之所以取得了成功，是因为刚开始他们碰到了障碍，这成为他们加倍努力的动力，后来的成就也就越大。威廉·詹姆斯说："缺陷往往对我们的人生有意想不到的帮助。"

这是有据可查的。也许是弥尔顿的双眼失明，让他写出了更好的诗篇；也许是由于贝多芬的两耳失聪，才让他创作出更好的曲子；也许就是海伦·凯勒的看不见和听不到，让她取得了如此辉煌的成功。

如果柴可夫斯基没有沉浸在苦海之中（失败的婚姻曾令他绝望并濒临自杀），也许他永远也写不出伟大的《悲怆交响曲》。如果陀斯妥耶夫斯基和托尔斯泰没有经历磨难，也许就写不出如此不朽的作品。

改变生命科学基本概念的达尔文说："要是没有残疾，也许我永远没有机会完成这么多的工作。"他也坦白残疾对他有意外的帮助。在英国的达尔文出生的同一天，美国肯塔基州森林里的一个小木屋里，另一个伟大的灵魂也正降临人世，他就是亚伯拉罕·林肯。缺陷也不尽是坏事。要是林肯生于贵族家庭，从哈佛大学法学院毕业，拥有幸福美满的婚姻，也许永远不可能发出盖茨堡那样优秀的演说，也不可能在第二次竞选时说出如诗的名言——这是美国总统曾经说过的最美、最高贵的语言——不要对任何人怀有恶意，而应该满怀爱戴……

在《洞察一切》这本书中，哈瑞·爱默生·福斯狄克说："斯堪的那维亚半岛流传着这样一句鼓励自己的名言——北风成就了维京人。"为什么我们要认为完全没有困难、只有舒适和安逸的生活才是快乐的人生？我觉得恰好相反，永远可怜的人是顾影自怜者，哪怕他躺在舒适的大席梦思上。历史告诉我们，人的性格和幸福是各种环境作用的结果。所以我要

说："北风成就了维京人。"

要是你沮丧、懊恼，觉得自己没法将柠檬转化为柠檬水，不妨看看这两个理由，它们将告诉你，为什么我们能只赚不赔。

第一个理由：我们可能成功；

第二个理由：即使没有成功，抱着化负为正的愿望，至少也能让我们向前看而不是向后看。积极的心态取代消极的心态，有助于激发人的创造性，它让你无暇顾及其他，也没有兴趣为过去的事忧虑。

在巴黎的一次音乐会上，著名小提琴演奏家欧利·布尔在演奏的过程中，小提琴的A弦突然断了，他依然只用另外三根弦坚持完了演出。"生活也是如此，如果A弦断了，依然可以用其他三根弦将曲子演奏完。"哈瑞·爱默生·福斯狄克如是说。

这不仅仅是生活，而且是比生活更有意义的事情。这是生命的胜利！要是我能做到的话，我一定将威廉·波里索的话刻在铜匾上，挂在每所学校的墙上："人生中最重要的不是将收入当作资本，傻子都会这样做的。重要的是从损失中获益，这可是需要聪明的才智，也正是智者和傻瓜的区别。"

满足别人就是成全自己

能够设身处地为别人着想、洞察别人心理的人，永远不必担心自己的前途。只要把握对方心中最迫切的欲求，就可以如鱼得水，否则，事情就很难完成。

每年夏天，我都要去缅因州钓鱼。我个人很喜欢吃草莓和奶油，但是我发现鱼儿却喜欢吃小虫子。因此我每次去钓鱼的时候，我会琢磨这些鱼儿喜欢哪些美味佳肴，而不会想我所喜欢吃的东西。我会穿上一条蚯蚓或一只蚱蜢，垂到鱼儿面前，说："你不想尝尝这个吗？"不这样，难道在鱼钩上挂上草莓和奶油做诱饵吗？

当你"钓"人的候，为什么不试试同样的道理呢？乔治就常常采取这种方式。很多战争年代成为领袖的人，例如威尔逊、奥兰多及克里孟梭，都很容易被世人遗忘。所以经常会有人问他，"为什么你仍然能够大权在握？"他回答说："如果我的执权术有何秘诀的话，那可能就是因为我很早就明白了一个道理——要想钓到鱼，必须有适合鱼口味的鱼饵！"

为什么要谈论我们所要的呢？因为，你感兴趣的正是你所要的，而你永远对自己所要的感兴趣，但别人感兴趣的并不一定是你想要的。他们也只对他们自己所要的感兴趣。

因此，世界上唯一能影响别人的方法是，谈论他所要的，并告诉他怎样去得到。譬如说，当你不希望你儿子抽烟的时候，别跟他讲什么大道理，讲大道理是徒劳而不起作用的。而你只需让他知道，抽烟会使他无法加入篮球队，或赢得百米竞赛。不论是对待小孩子、小牛或猴子，这一点都得记住。

有一次，爱默生要把一头小牛赶入牛棚。结果他和他的儿子犯了错误——一个很多人都容易犯的错误——只想到他们所要的：儿子在前面拉，爱默生在后面推。但那只小牛所想的只是它所要的，正与他们想做的一样，因此它蹬紧双腿，顽固地不肯离开原地。但爱尔兰女仆轻松打破了这个僵持的局面，尽管她不会著书立说，但至少在这一次，她比爱默生更了解牛马的性格。她想到了那只小牛所要的，因此她把她的拇指放入小牛的口中，让小牛吮着手指，同时慢慢地把它引入牛棚。

从出生之后，你做每一件事都是出自你的需求。比如说，你为什么要给红十字会捐款100美元？不错，因为你和其他人一样，你要做一件善良无私的神圣之事，也想为别人提供某种帮助。《圣经》中说："既然你把这件

事加诸我们的兄弟身上，等于就是加诸我的身上。"

假如你对那100美元的喜爱超过行善的感觉，那你便不会去捐款了。当然，你也许会因为不好意思拒绝，或因为有人请你捐而不得不捐。但有一点是可以肯定的，那就是因为你有所需求而导致要捐款的愿望大于不捐款的愿望。

亚弗斯德教授在他极具启发性的著作——《影响人类的行为》中说："实际上，欲望支配着我们的一切行动……无论是在商业、家庭、学校中，还是在政治中。对那些想劝导别人的人来说，我所能给予的最好的建议，就是首先要撩起对方的急切欲望。做到这点，如鱼得水；否则，一事无成。"

明确方向，就有希望

生活中有些人态度散漫，随便地找个工作，稀里糊涂地结了婚，漫不经心地过日子，心中没有一点进取心和愿望，却梦想着事情能像自己想象的一样美好。这样的人是永远不可能获得成功的。

恩·约特女士在纽约新温斯顿饭店创办了"易职诊断处"，她是一位人生的指导者。她给那些对自己工作不满意的人提出意见，供他们参考。我和她曾经讨论过失业的问题，她对我说，这些人之所以对自己的工作不满意，是因为他们不知道自己真正需要什么，她要做的第一件事就是帮这些人找到内心的愿望和目标。这也是一位妻子应该协助丈夫的事情，帮助他找到生活的目标，然后他才能够明确地向这个目标前进。

《婚姻指南》的作者赛门和伊瑟格琳，曾经指出快乐的婚姻建筑在共同的生活愿望的基础上，无论这个愿望是什么——一幢新房子，一个大家庭，或是去欧洲旅行一次……

书中写道："关键是先制定一个目标，然后努力去实现它。生活的快乐、满足和趣味来自于对生活的设计、希望和梦想，来自于对生活中的胜利与失败、满足与失望的共同分享。"

住在堪萨斯州威基塔的威廉·葛理翰夫妇，就是一个活生生的证明。威廉·葛理翰是威基塔威廉·葛理翰油料公司的负责人，公司的经济效益良好。小时候，威廉·葛理翰就已经懂得怎样从油料经营和投资中获取利润了，如今他和夫人玛丽拥有的人生财富令许多人羡慕不已：健康、富有、6个聪明的孩子、成功的事业、豪华的住宅，他们在未来的岁月可以尽情地享受这一切。

我认识威廉·葛理翰很多年了，我向他请教成功的秘诀，他回答："首先要有一个长远的计划，然后努力实现它。"

威廉·葛理翰和玛丽结婚不久，就开始做房屋不动产买卖，从中赚取一些佣金。他们租借一幢办公大楼废弃的一角作为办公室，玛丽在那里负责联络，威廉在外寻找生意。开始，并没有什么业务，这对新婚夫妇经常是食不果腹。

后来，终于出现了转机。他们开始自己购买房子再转手卖出，然后自己建造房子出售，他们的事业前景一片光明。就在这时，威廉却认为自己应该谋求更好的发展，因为他有充沛的精力。

威廉·葛理翰夫妇举行了几次家庭会议，后来他们选择了石油生意，这样威廉·葛理翰油料公司就正式成立了。这家公司对交易的机会和挑战性有强烈的渴望，所以作为成功的范例，经常被人们提及。

但是威廉夫妇并不满足，他们还在谋求新的发展，并考虑进行国际投资。一旦他们作出决定，他们就会竭尽全力去实现它。

当威廉夫妇为自己选择目标制订计划时，他们总会考虑到威廉受过的训练、拥有的素质和性情。玛丽告诉我，为了避免失去进取的精神，威廉

总是在实现一项计划之时，马上去制定一个更有挑战性的计划。所以，他们的生活一直充满着挑战，也充满了由此而来的成就感。

威廉夫妇的成功就是一个证明，人生应该制订计划，依照计划行事，最后实现自己的目标。如果一条船失去了方向，失去了前行的动力，那么任何风向对它来说，都是逆风。谁能够不经瞄准而命中靶心呢？瞄准靶心的人可能会出现一点偏差，但是总比闭上眼睛盲目射击好得多吧。

著名的哥伦比亚大学教授狄恩·海伯特赫基斯曾说过："混乱是产生忧郁的主要原因。"混乱不仅是忧郁的主要原因，而且还是成功路上的最大阻碍。因此，如果你想让自己优异出众，你所做的就是激励自己找到生命的重心，制定生活的目标，获得人生的成功。

成功对我们有什么具体的意义呢？成功意味着财富、名望或者权力、安全感，还是满意的工作、服务社会？成功对于每个人，都有不同的含义，我们应该仔细考虑这些问题，找到成功对自己真实的意义，从而确定自己生命的目标！

永远有目标，永远有动力

尼克·亚历山大从小在一所孤儿院里长大。那里的伙食粗劣，孩子们在那里总是吃不饱，就是在饿肚子的时候也要从早上到傍晚不停地工作。

尼克最大的梦想就是能够上大学。小尼克非常聪明，可以说是一个神童，他14岁中学毕业之后，就来到社会上谋生。开始，他在一家裁缝店里做缝衣匠，他在那里工作了14年。后来，裁缝店加入了工会，他们的工资提高了，工作时间也缩短了。让尼克感到幸运的是，他的妻子愿意帮助他实现自己的梦想，但是一切并不是那么轻而易举。他们结婚后不久，裁缝店开始裁减人员，这对年轻的夫妇不得不自己去闯天下了。

他们想办法筹集资金，他的太太丽莎还为此卖掉了自己的订婚戒指，最后，他们在宾夕法尼亚州亚顿市开了一家亚历山大房地产公司。公司成立后，生意十分兴隆。这时，丽莎决定让尼克上大学。在尼克36岁那年，得到了学位，这是他人生路上的第一个里程碑，同时也实现了自己儿时的梦想。

尼克获得学位后，帮助自己的太太继续做房地产生意。他们又有了新的愿望——在海滨建造一所新房子。不久，他们就实现了这个目标。

他们是否贪图享乐，停下来休息了呢？没有！因为他们要为女儿的教育做好足够的准备。于是他们把房子改成公寓出租，他们一心一意要实现这个目标，最后孩子上大学的费用终于有了保障。

目前，亚历山大夫妇在为自己的退休保险金努力奋斗。尼克单独主持事业，丽莎在家照顾生活。亚历山大夫妇的生活是忙碌的，同时也是幸福的。

萧伯纳曾说："我厌恶所谓的成功，因为这样的成功意味着再也没有事情可以做了，就好像是一只雄蜘蛛，完成了受精，只有等待着被雌蜘蛛杀死。我的目标永远在前面，而不是后面，所以要不断地进步，向前看。"

许多人的一生中没有明确的目标，他们生活单调、醉生梦死，做一天和尚撞一天钟。相反，那些在人生中有明确目标的人，就是在警觉地等待着机会，一旦机会出现，他们紧紧地抓住它，获得很多收获。

如果要制订长远的计划，最好是把五年作为一个阶段，这样便于管理和实现。你可以这样来制定计划：杰姆要在五年之内获得大学学位，准备着提升；他要在十年之内晋升为小主管，等等。

一位太太说："我希望我的丈夫永远不要感到满足，不要停下他进取的步伐。在我们这五年的生活中，每年都会为一个目标去努力——首先是他的学位，其次是进修课，然后是谋取一个自由投稿的工作，现在则是他的事业。如果有一天他对我说，他已经满足了，那么我们的蜜月也就结束了。"

　　"无论你做什么，只要牢牢记住自己最终的目的，就会获得无穷的动力向前进。"实现一个目标之后，马上再为自己订立一个新的目标，这就是成功的要诀。人生的意义，就在于不断地追求新的目标。

不冲动，为激情穿上理智的外衣

—— 不让脱缰的野马把我们带入深渊

冲动的情绪是一种无力的情绪，也是极具破坏力的情绪。许多人都会在情绪冲动时做出许多使自己后悔的事情来。因此，学会用理性控制自己冲动的情绪是一种有教养和成熟的表现。憎恨和冲动往往会把自己的日子弄成了炼狱。冲动让人犯下了太多的错，落下了太多的悔，走过了太多的冤枉路，可以说，冲动就是魔鬼。"自制力"是唯一可以孕育和生发出人的一切优秀品性和出色才干的根本。高尔基也曾说过："哪怕是对自己的一点小小的克制，也会使人变得强而有力。"

可以追逐目标，但不要急功近利

以下内容，是为那些还没有找到理想工作的年轻人而写的。如果你属于这种情况，请仔细阅读，因为，它将会对你的未来产生深远的影响。它可能会决定和改变你的一生，将会对你未来的幸福、收入和健康产生巨大而深远的影响。这项决定，也许可以成就你，也可能会毁掉你。它到底是什么呢？

你要用什么样的方式来谋生？做一个农民、邮差、科学家、森林管理员、速记员、兽医、大学教授，或是干脆摆一个小吃摊？

在面对人生的各种选择时，大多数人都像在赌博。哈瑞·爱默生·福斯狄克在他的《透视的力量》一书中说："每一个男孩在面临如何度过假期的选择时，都是一个赌徒。他是用自己的青春做赌注。"

那么，我们怎样才能降低各种选择的赌博性呢？首先，要努力寻找自己喜欢从事的工作。

轮胎制造商古里奇公司的董事长是大卫·古里奇，我问他一个人要想成功，最重要的是什么？他说："热爱你的工作。当你热爱自己的工作时，即使工作再苦再累，你也觉得像玩游戏时一样兴致勃勃。"

在这方面，爱迪生就是一个现成的例子。这位没上几天学的报童，后来却促进了全世界工业化的进程。几乎每天，他都在实验室认认真真地工作18个小时，甚至连吃饭、睡觉都在那里。可他从来不觉得辛苦，他说："我从未虚度生活的每一天，每一天对我来说都是快乐的。"

有这样对工作的激情，难怪他能取得这样重大的成就！查理斯·史兹韦伯也曾说过："每个从事着自己所热爱的工作的人，都终会取得成功。"找一份自己所热爱的工作？也许对此你有些茫然，什么样的工作才是自己所热爱的呢？

现任美国家庭产品公司工业关系副总裁的卡尔夫人，曾经为杜邦公司雇用过数千名员工。她说："从我的观点看，世上最大的悲剧就是，太多的年轻人从来不知道自己真正想做什么。想想看，一个人在工作中除了赚到薪水，其他一无所获，这是多么可悲的一件事！"

现在的很多大学生也是如此，他们不知道自己能做什么，更不了解自己真正想做什么。一开始时雄心勃勃，有着许多梦想；但是，若在30岁之后依然一事无成，就会变得沮丧、颓废，甚至对生活漠不关心。

而且，选择适合自己的工作，对一个人的身体健康也很重要。霍金斯医院的雷蒙教授曾配合几家保险公司进行了一项有关长寿的调查，在影响寿命的众多因素中，他将"适合的职业"放在了首位。苏格兰哲学家卡莱尔也曾说过："祝福那些找到心爱工作的人，他们已经不需要别人的祝福了。"

最近，我去拜访了索柯尼石油公司的人事经理保罗·波恩顿。在过去的20年中，保罗曾面试过7.5万名应聘者，他还出版过一本叫做《获得好工作的6种方法》的书。

我问他："现在的年轻人在求职时，最常犯的错误是什么？"

"他们不知道自己想干什么。"他说，"这多让人惊讶啊。你想想看，他们宁可把大量的时间花费在购买一件穿几年就会扔掉的衣服上，却不愿多动心思考虑自己想要从事的工作！这多奇怪啊，要知道，一个人从事的工作将会影响他的一生和幸福啊。"

怎样才能解决这个难题呢？也许，我们可以咨询一下"职业指导"。但请注意，他们可能会帮到你，也可能会害了你，这完全取决于职业辅导员的能力和素质。这个有着光明前景的新兴行业，才刚刚起步，还远没有达到完善的程度。

在这些职业咨询机构，你可以接受职业测验并获得他们的指导意见。但请记住，最终作出选择的应该是你，而且只能是你。职业辅导员的建议并非绝对正确，他们彼此之间的意见也常常发生冲突，有时甚至会出现荒唐的错误。

有一次，一名职业辅导员建议我的一个学生去做一名作家，理由是她的词汇量丰富。这也太可笑了吧，当一名作家远没有想象中那么容易！要想将自己的思想和情感充分传达给读者，仅有丰富的词汇远远不够，它更需要思想、经验和激情。如果这个女孩接受了这个辅导员的建议，其结果只会是一个极有天分的速记员，变成了一个沮丧的准作家。

我必须再次强调，那些职业辅导专家包括我在内，并不是绝对可靠的。因此，你应该多找几家咨询，然后用常识来判断他们的意见。

读到这里，也许你会有点奇怪，为什么我总是说这些让人担心的话题呢？但是，如果你知道生活中大多数人的忧虑和沮丧都与不合适的工作有关，你就不会觉得奇怪了。

如果你不信，可以向你的父亲、邻居和老板咨询一番。著名的学者约翰·米勒曾说过，工人不喜欢自己的工作，是"社会最大的损失之一"。我想，世界上最痛苦的人，也许正是那些对自己的日常工作极为厌恶的"产业工人"。

接受现实，付诸行动就是成熟

　　要是我说美国是个到处充满机会的国家，只要是人才你都可以找到展现自己的舞台，你是否赞同我说的观点呢？或许你会认为我说得对。可是，你又能确信到什么程度呢？如果你正处在失业、破产、找不到工作的状况下，你还会对此坚信不疑吗？密苏里州的里奥纳德·崔加就是我所认识的一个这样坚持信念、矢志不渝的人。他父亲于1928年过世，他得到了父亲遗留给他的10万美元财产。可10年后，他破产了，一无所有了。他是这样讲述这个过程的：

　　"我的父亲是一位很富有也很慷慨的人。在我读高中那会儿，我一没钱，他就允许我去银行开他户头上的支票。到了大学后，我往支票上填数目更是随心所欲了。就这样一直持续到大学毕业，我除了会开支票外，对于金钱的价值和意义以及如何去赚钱根本没有什么概念。

　　"甚至到父亲去世时，对于生活我依然不知道如何去面对。于是，我就在他留给我的那片在密苏里河下游靠近密苏里州里辛顿的丰饶的土地上经营农业。随着经济大萧条的到来，第一年我的经济就入不敷出了。为了还债和补充我的银行存款，我只好抵押了一块土地。可是事情并没有好转，经济依然是不景气，我不得已只得卖掉了那块被我抵押出去的土地，以此还了贷款。生活就这样持续着，只要缺钱用，我就继续抵押和卖掉土地。

　　"终于有一天，我卖光了所有这些土地，我破产了。因此，我不得不找份工作来维持自己的生活。可是，在此之前我哪里做过什么事，我根本不知道自己要干什么。为此我很焦虑，吃不好、睡不好。父亲也已经过世，再也没有支票可供我随意填写数字了。等于说我没有任何退路可求了。

"一天晚上，我终于明白了，自己必须接受现实，勇敢地面对它。我对自己说'你的好日子已经过去了，你应该去找份工作了，成熟起来吧，朋友'。

"于是整个晚上我都陷入了沉思，一直以来我都相信'在美国，只要你愿意努力，机会对每个人来说都是均等的'，那个时候整个美国的环境都不佳，工作机会也少。可是经过思考，我发现我有很多长处，比如说我体格健壮，我有大学文凭，而且我还受过职业上的培训，经营农场的失败和错误经历也带给我宝贵的经验和知识……这些让我意识到自己不能再继续抱怨和悔恨了，我必须行动了。

"于是我理清思绪，安排好生活，就开始找工作了。可现实并不如想的那么容易，找工作确实不是一件容易的事。每当我遭遇挫折，我就强迫自己不去怀疑，不要恐惧，坚信自己的信念，坚信每个有信念的人都能在美国找到属于自己的位置。

"终于我的信念得到了回报，我在堪萨斯城的联合财务公司得到了一份工作。在那里我愉快地工作。四年后我辞了职，又回到了我的农场事业上。这一次，我潜心经营，慢慢地树立起了信誉，使业务大为拓展。我不仅从事农场买卖，还从事其他相关的业务。通过自身的努力，我取得了很大的成功，而且赎回了父亲留给我的财产。我所取得的这一切都得益于失败给我的教训，是失败促使我做好了迈向成功的准备。

"更可贵的是我懂得了一个伟大的真理、一份我可以留给儿子的超出金钱价值的财产——我们必须拥有信念，而且我们要为我们的信念去付诸实践，否则的话，你就不曾真正拥有信念。如果我们内心有坚定的信念，那么我们就必须坚持信念做好生命中的每一件事。信念不会让任何人失望，然而我们总是在困难面前放弃信念。"

崔加先生的故事是一个典型的例子，展示了一个人怎样走向成熟的过程。他从一个被父亲宠坏、不负责任的孩子，到接受现实，成长为一名拥有信念、坚持信念，并把信念付诸到行动中去的真正成熟的男人。

主动是行动的第一步

约翰·辛德勒博士——《如何过一年365天》一书的作者，曾经说过："成熟是经过学习才能达到的，而且通常要历经痛苦才会见效。"

加拿大的丽莲·海德莱太太就为以上的真理做了见证。让我们来看看她是如何走向成熟的。海德莱太太是一名普普通通的家庭主妇和母亲，她性格开朗乐观。可有一天，她开车不小心跌入一道深沟。

如刚开始被诊断为脊椎骨摔断，后经X光照射，她的脊椎骨并没有折断的迹象，而是骨刺脱离了外面的附着物。后来医生把这个不幸的消息告诉了她："你的脊椎骨严重硬化，你要有这样的心理准备，或许五年后，你就再也不能动了。"

"我听到这个消息的时候，当时就吓傻了，"海德莱太太回忆道，"我一向开朗乐观，也乐于克服困难，可当这个可怕的困难出现在我面前的时候，我是那么的恐惧，那么的软弱无力。好像一时间我的天空塌陷了。一想到以后要在床上过一辈子，我就被压得喘不过气来。

"一天早上，我的神智突然清醒过来。我想了很多，至少我还有五年的时间能够走路、过正常人的生活，我还能够帮家人多做五年事情。我要珍惜这现有的五年光阴！再加上医生的治疗，我自己努力克服的决心，或许我的状况会得以改善。我一定要为此奋斗，我不甘心就这样投降，我要尽我所能去活动起来。刹那间，马上行动起来的决心赶走了软弱和恐惧，我突然有了力量，于是我挣扎着下了病床……那一刻，我决定开始我新的生活。

"在以后的日子里，我不停地激励自己'继续，继续，继续'。

"大概是五年半前的一个早晨，我去医院照了X光，医生告诉我脊椎骨至少再过五年也不会出问题。他鼓励我要对生活充满情趣，积极乐观地生活，要勇敢地活下去。这也正是我的信念，只要还有一块肌肉能动，我就要继续好好地活下去。"

这又是一个因为拥有信念，并且坚持信念从而使自己的人生更加精彩，促使自己走向成熟的例子。我们必须坚持信念，否则的话所有的理论都会失去价值。诚然，只有信念并不能使我们成熟。在困难、考验面前我们更需要的是勇敢，要勇敢地面对，而不是转身逃跑。

我们的信念主要在于我们怎么做事。要是我们不去做，不去实践，即使是深刻的哲理在我们身上也不起任何作用，生活将不再真实，处处都是虚伪。

如果你内心拥有坚定的信念，就必须坚定信念做好每一件事。

争论并不能改变别人的想法

"二战"刚结束时，我在伦敦上了这样一课，使我终身受益。当时，我是罗斯·史密斯爵士的经纪人。在战争期间，史密斯爵士是位澳大利亚空军飞行员，他的工作地点就在巴勒斯坦。欧洲战场停战不久，史密斯爵士在一个月内飞行了半个世界，这在世界引起了很大的轰动，在此之前从

来没有人完成这样的壮举。所以一时间他成为英国的焦点人物，不但澳大利亚给予他5000美元的奖励，英国女王也授予他爵士爵位。

那天晚上，我去参加为史密斯爵士举行的宴会。在宴会中，我右边的男士讲了个笑话。在这个笑话里，他从别处引用了一句话，他说这句话出自《圣经》。恰好，我对这句话很熟悉，自身当然产生一种优越感，于是我用居高临下的语气对他说，这句话是出自莎士比亚的作品。他则坚持认为，这句话不可能出自莎士比亚之口，一定来自《圣经》。我们就这样争论起来。

好在坐在我左边的是我一个老朋友，法兰克·盖蒙，他对莎士比亚的作品非常了解。于是我就和那人一起请教盖蒙。盖蒙搞清楚了事情的来龙去脉，然后用手肘悄悄碰了碰我说，是你搞错了，他是正确的，这句话确实是出自《圣经》。

宴会结束后，我跟盖蒙一起回去，我就问他为什么要那样说，因为他知道那句话明明出自莎士比亚的作品。他说："当然，就是出自《哈姆雷特》的第二场。但是，亲爱的戴尔，我俩都是赴宴的客人，为什么一定要指出他的错误呢？为什么要他感到丢脸呢？这样做对你有什么的好处吗？况且他也没问这句话出自哪里，你为什么要和他顶着干呢？以后最好永远别和别人发生正面的冲突。"

盖蒙早已经去世，但"永远别和别人发生正面的冲突"这句话已经深深烙在我的心里。我真的从中受益大很大。在这件事之前，我总是喜欢跟人抬杠，什么问题都争个面红耳赤。小的时候，是跟哥哥磨嘴皮子，大事小事争论不断；上大学时，我又选修了逻辑和辩论学，经常参加辩论赛；后来，我又到了纽约，专门讲授演讲和辩论，甚至还准备写一本与辩论有关的书。你看，我以前就是这样喜欢跟人争论。

我终于明白了这个道理，要想通过争论获胜，唯一的方法就是避免争论。之所以说争论中不会产生赢家，是因为，几乎所有的争论都只会让争论的双方更坚持自己的观点，哪怕有一方似乎表面上占了上风，实际上也不会取得最后的胜利。从本质上来说，你还是输了。即使你把别人驳得体无完肤，你又得到了什么好处，除了暂时的沾沾自喜。而且你让对方的自尊心受到了严重的伤害，人家可能还会因此怨恨你。即使他口头上承认你说得对，他的心里也不会服气。

派恩互助人寿保险公司就有这样一条严格的规定，即永远不要争论。因为争论并不能改变别人的想法，争论不是真正的推销精神。

说话前，站在对方的立场想一想

多年来我养成一个习惯，就是经常到我家附近的一所公园里散步或骑马。

这所公园有时候会失火，但很少是由于自然原因，多数是由来这里的孩子野炊所引起的。有时候火势很大，只有动用消防队才能扑灭。

公园角落里立了一块牌子，上面写着："禁止在公园里用火"。但这块牌子放的位置太隐秘了，很难被人注意到。尽管这个公园有专门骑马巡逻的警察，但仍不起作用，每年还是有火灾发生。

有一天我又看见公园起火，便立刻去找警察，告诉他赶紧找消防队。没想到这个警察一点也不在乎，说这不是他的职责。对此我非常失望，所以以后我再来这个公园散心的时候，我就把自己当作一个维护公园安全的义务管理员。

刚开始，我看见有人在公园里用火，我非常难过，赶紧过去制止。通常，我都是骑马到这些小孩子面前，警告他们说，再在这里用火就有可能被送进监狱。我命令他们立即把火扑灭，要是他们不听的话，我就威胁说

他们要被抓起来了。我就是这么想的，也是这么做的，根本没想过他们会怎么想、怎么做。

　　实际上我这样做是不起什么作用的。当时那些孩子会服从我的命令，但他们心里肯定很不高兴，我离开后，他们照样点火，甚至想要烧毁整个公园。随着时光的流逝，我更能深刻理解与人相处的学问，也掌握了一些说话技巧，更懂得与人交往时要立足于别人的想法，试着去理解别人，凡事从别人的角度出发。因此，我再看到孩子们在公园里用火时，我不会像以前那样用命令的语气和态度。当骑马到他们跟前时，我会说："宝贝们，玩得开心吗？你们打算做什么晚餐呢？我小时候也跟大家一样喜欢玩火，现在我仍然喜欢这么做。但你们知道这样会造成什么后果吗？在这公园里用火是很危险的。我想你们一定会很小心的，但也许其他人不会这么想的。他们看见你们用火，于是他们自己也想用火，但是用完火又不把火灭掉。一不小心火就顺着枯叶蔓延开来，一点点烧毁这里所有的树木。要是我们不小心一点的话，我们在这个公园里可能就再也见不到任何树木了。况且，你们在这里用火，很可能会被人抓起来。我也不想让别人知道你们在这用火，这样会破坏你们的兴致的。你们玩得开心我当然很乐意，但我想你们最好赶紧把旁边的枯叶都拨开，并在离开之前用土把火埋掉，你们会这样做吧？下一次你们想用火时，可不可以到山丘的另一边？那里有沙坑，在那里用火是没有危险的。祝你们玩得开心！谢谢。"

　　要是我这样说的话，效果就很明显。这些孩子就听话地把火灭了，他们已经从心底认同了我的话。他们没有被我强迫和命令的感觉，也不会感到丢面子。我们大家彼此从心里接受了对方，所以不会感到别扭，这就是因为我站在他们的立场上处理问题的缘故。

求同存异，实现共赢

试着去理解别人，凡事从别人的角度出发，就能给你带来成功与和谐，减少障碍和摩擦。

人们都有这样的习惯，即使是自己错了，也不见得会承认。这时候责怪他是没用的，反而可能起到相反的作用。要是你足够聪明的话，不妨先去理解他。不但要知道他是怎样做的，还要知道他这样做的原因。只有充分了解他本人，才能解决有关他的一切问题。

凡事把自己放在别人的位置上好好想一想，问问自己："要是我是他，我会觉得怎么样？我会做出什么样的反应？"这个方法可以减少你很多烦恼和疑虑。"只要你明白了原因，你就不会再对这样的结果有所抱怨了。"而且，这还有助于改善你的人际关系。

肯尼斯·古迪写了一本名为《怎样让人们变成黄金》的书，书中有这样一句话："停下来花一分钟比较一下，自己是怎样关心自己的事情而不关心其他事情的，你就会理解为什么别人也是这样的。一旦你掌握了这个技巧，你就拥有了做大事的坚实基础，建立和林肯、罗斯福等人一样伟大的业绩。不过，要是你是个看守监狱的警察，最好还是打消这个念头。不管怎么说，你和别人关系怎样，就看你能多大程度地为别人着想了。"

纽约州汉普斯特市的山姆·道格拉斯先生以前经常对自己的太太有怨言。他觉得，太太浪费了太多的时间在修葺草坪上，因为她总是以至少一周两次的频率拔除杂草、施肥和剪草，但自己总觉得这草坪跟4年前相比没好到哪里。更糟的是，每次道格拉斯先生给太太说这些的时候，又会导致

家庭不和。

参加了我们的培训班之后，道格拉斯先生终于明白了自己的错误，原来自己做了这么多年的蠢事。他从来没想过原来她是喜欢整修草坪的，原来她做这件事情时是充满快乐的，甚至不知道原来她在做这件事的时候希望别人会夸奖她。

一天晚饭后，道格拉斯太太说要去整修草坪，还邀请丈夫跟自己一起去。刚开始，道格拉斯先生拒绝了，但很快又想到了什么，这才决定跟她一起去除草。他们在干活的时候不停地交谈，气氛很愉快，道格拉斯太太显得非常开心。

此后，道格拉斯先生就经常帮太太整修草坪，还夸赞她干得好，说草坪在她的整理下已经好看了很多。此后他们夫妻之间又恢复了快乐与和谐。原因很简单，就是他学会了从她的角度思考问题，哪怕只是一个有关草坪的事情。

吉拉德·黎仁柏在他的《进入别人的内心世界》一书中写了这样一段话："当你把别人的观点和感觉看得与自己的观点和感觉同样重要，并表现出来时，你和别人的谈话气氛就会和谐起来。谈话开始时，要让别人把自己的谈话目的和意思先说出来。在交流的时候，你可根据对方的想法来准备自己想说的话。这时候，由于你先理解和认同了别人的观点，对方也会理解和认同你的观点的。"

引导比反驳更有效

要是你想了解更多的有关为人处世、自我控制、提高人品的不错建议，可以读一读本杰明·富兰克林的自传，这本美国古典名著具有很强的吸引力和说服力。

在这本书中，富兰克林讲述了自己是怎样克服好与他人争辩的缺点，从而成为美国历史上最实干、最友善、最圆滑的外交家的。

当富兰克林还是一位冒冒失失的年轻人时，一天，一位交友会的老朋友把他叫过来，严厉地批评了他一通，他说："本，你太过分了。你太突出自己的意见了，已经伤害了每一位跟你有不同意见的人。你这种态度真的让人无法忍受。现在朋友们都觉得，只要你不在场就会轻松很多。你这么过分，没有谁能教什么了，也没有人打算再说你什么了，因为这样纯属白费力气，而且还惹你不高兴。要是你一直这样下去的话，你将很难再学到新东西。"

这次教训是惨痛的，富兰克林把它牢记在心。他意识到自己的人际关系正面临着失败的危机，他逐渐成熟和明智起来，很快改掉了自己粗野和傲慢的坏习惯。

富兰克林说："我给自己定了一条原则，再也不要直接面对面反驳别人，也不要武断，甚至也不用太肯定的措辞，不用'当然'、'毫无疑问'等有武断性质的词汇，改用'我想'、'我假设'，或'我想象'等；当别人提出不同意见时，不要立即反驳，而是说，'在某种情况下，他的观点是正确的，但现在我有一点点意见，我们大家共同来探讨探讨'。

"慢慢的，我改变态度的做法发挥了作用，与人谈话的气氛也变得逐渐融洽。我的谦虚很容易就被大家接受了，我与人发生争执的机会也减少了。这样，我也不会为了偶尔的过错而不好意思，要是我正确的话，也能更顺利地得到大家的赞同。

"不过刚开始实行这新原则时，我总觉得别扭，好像就不是自己了一样，但慢慢地，就成了我的习惯。此后的50年，我没有再跟谁说什么太武断的话。这个习惯使我在提出新的或修改旧的法案条文时更到了充分的尊重，也让我在大陆议会里更具影响力。虽然我的措辞和言论有时候并不简

洁有力，甚至还会出错，但我的意见还是经常得到大家的支持。"

有人就使用了富兰克林这些为人处世的方法，我举几个商业领域的例子。北卡罗莱纳州金蒙顿市的一家纺纱工厂的生产总监，凯瑟琳·阿尔弗瑞德，她为我们大家讲述了她在接受训练前后是怎样解决问题的。

"我工作的一部分内容，是制定一些方法和标准来激励员工，以此来提高产品的产量和质量，同时让员工得到更大的收益。我们只生产两三种不同纺线的时候，原来的激励措施还很管用，但是现在我们纱线的种类增加到12种以上，原来的措施就不好用了。这时候再使用原来的措施，根据员工的工作质量，还拿这些报酬已经不能让他们产生积极性了。

"我就制定了一个新的激励方案，目的是让每一位员工在任何工作时间内生产的任何种类等级的纱线都得到相应合理的报酬。一次开会的时候，我把我的新方案提交给会议室内的高层职员们，并为大家做了详细的分析说明，以此来对比两种方案的优劣，同时指出原措施在给员工的待遇方面是不合理的，然后提出我的解决方案。没想到我所做的这一切都是白费力气。因为，我太想让自己的方案顺利通过，在说话的时候不免武断，在言辞上没有表示出商量或探讨的意思，说到原方案时还毫不客气地加以批评，这让别人很丢面子。所以，我的新方案在这次会议上没有通过。

"现在通过几次培训课的学习，我终于明白了我的错误。于是，我申请再开一次会议。这次，我首先请大家说说对这个问题的看法，然后大家针对每个要点一起讨论分歧，还让大家说出他们自认为最好的解决方法。我看准时机，比较低调地引导他们按照我的意思提出解决方法。这样一来，当会议结束的时候，我发现，大家汇总的方法跟我的新方案是一致的，这时候他们也一致赞同这个方案是优秀的。

"现在我已经知道了，要是你直接指出谁的过错，这样做不但不能起到好作用，反而还会造成很大的麻烦。因为，你指责别人的同时也伤害了他们的自尊心，还让自己得到了别人的反感。"

低姿态比强势更有效

西奥多·罗斯福刚刚就任总统时曾说过，他对自己决策正确率的最大希望75%。伟大如罗斯福这样的世纪伟人才这个比率，我们一般人义该是多少？

要是你有55%的正确率，你就可以到华尔街证券市场，每天能赚100万美元。要是你没有这55%的正确率的话，就不要肯定别人总是错误的了。无论用哪种方式指责对方，哪怕是一个眼神、一种语气、一个手势，或直接说他错了，都会产生同样的后果。你让他的智慧、他的判断力、他的骄傲和自尊都受到了打击，他不会认同你的。你不但不能改变他的意见，他还会反击你。即使你用了柏拉图或康德的哲学逻辑来巧妙地指责他也没用，因为这毕竟让他受到了伤害。

谈话的时候永远不要出现这样的字眼儿："那么，你来看我是怎么做的。"这样的话简直犯了大忌，你这样表达，无异于在说："我比你强，我能让你明白一件事。我可以改变你的想法。"

面对这样一种挑战的姿态，肯定是会起争执的，而且很快，快到不等你继续，他已经准备好反击了。所以，要改变别人的主意真是不容易，哪怕是用最温和的方式，也都是非常困难的。而用上面那些方式说话只会令事情更难办。

要是你真的想要证明一个问题，要掌握一定的技巧。要让教导看起来不像教导，就要让对方有这样一种感觉：他的错误只是由于他忘记和忽略了而已。承认是自己的错误就能避免争论，而且还能使对方变得跟你一样宽容，可能他也会承认自己是错误的。

早在300年前，意大利的天文学家伽利略就说过："谁也不可能教会别人什么事，只能帮助他学会什么事。"

19世纪英国政治家查士德·斐尔爵士也说过类似的话，他对自己的儿子说："要是有可能的话，你比别人聪明是最好不过的事了，但不要把你比别人聪明这件事在别人面前显摆出来。"

苏格拉底在雅典也经常教育他的弟子："我只知道一件事情，那就是，我一无所知。"

我没法期望自己比苏格拉底还聪明，所以，我不再指责别人的错误。结果我反而得到了好处。当别人说了什么话——你认为是错误的话，也许你这样说他会更容易接受一些："是这样子的。我有别的想法，当然我有可能是错误的。通常我也会犯这样的错误，要是我真的不小心搞错的话，我希望你能帮我改过来，现在让我们来研究一下。"

用这样一种说话方式结果就会好很多。任何情况下，没有人会对"我有可能是错误的，让我们来研究一下"这样的话表示反感。我的一个学员，哈尔德·林克先生，这位道奇汽车在蒙大拿州比林斯的代理商就曾使用过这个规则。

汽车推销行业竞争压力很大，这影响了他的心情，以至于经常对顾客的抱怨很冷漠，有时候还会与他们发生冲突，这又严重影响了他的生意。

哈尔德·林克说："我慢慢发现了事情的不妙，我开始尝试用另一种方法与客户交流。我对顾客说'真抱歉，我们也有错误。对于您的车，我们可能确实也有不对的地方，请您及时给我们反映吧'。这样一来顾客的语气就不那么强硬了。等他平静下来的时候，我们彼此就可以客观理性地交流了，问题就好解决多了，许多顾客对我的这种态度还表示感谢呢。我曾遇到两个顾客，他们还因此推荐自己的朋友来买车呢。现在生意竞争得这么厉害，我们就需要这样为我们介绍客户的顾客。现在我完全相信，尊重顾客所有的意见，并使用巧妙的手段来处理问题，这对于自己的成功是非常有益的。"

暗示比指责更有效

一天中午，查尔斯·史考伯到自己的钢铁厂，发现几个工人正在吸烟，而他们的头顶上，就悬挂着一块写着"禁止吸烟"的牌子。史考伯没有马上指着牌子说"你们不要吸烟了"，他才不会这么蠢，而是走到这几个工人面前，递给每人一支雪茄，不动声色地说："要是各位到外面抽这些雪茄，我将非常感激你们。"

大家马上就明白了怎么回事，自己违反了纪律，老板不仅没有指责，反而送大家一个小礼物，这不仅让大家肃然起敬，以后也自觉地不在工厂吸烟了。

一开始就指责别人，只会招来他强有力的反抗。相反，委婉的提醒，让他注意到自己的不足，就会受到他的欢迎。

约翰·华纳梅克也发现这个技巧很实用。他每天都去费城自己的大商场里视察，一天，他发现柜台前的顾客在等着买东西，售货员却不理人家，而是都聚在柜台的另一头谈笑。华纳梅克什么也不说，自己走到柜台里面招呼顾客，只让售货员帮助包装货品，做完这些他就走了。售货员非常不好意思，以后就自觉了。

没有接待民众的官员常常被批评，这主要是因为他们太忙了，但有时候也不是因为忙，而是助手们不想让上司太劳累，拦着不让他去接待。奥兰多市的市长卡尔·兰福特经常告诫自己的属下说，不要阻拦他去接见民众，为此他实施了一条"开门政策"。尽管如此，来访的民众还是被秘书和下属们阻隔在办公室外。

卡尔·兰福特就想出一个新办法，那就是让人卸掉自己办公室的大门。下属们明白，市长是铁了心要接待民众了，于是也不再阻拦，卡尔·兰福特就真的"开门"了。

要想改变别人而又不惹恼他，只需换个说法，结果就完全不一样。很多人夸完别人，要转折到批评的时候，一般都会用"但是"这个词。打比方说，我们想让不专心学习的约翰好好学习，经常会这么说："约翰，我们为你自豪，这学期你进步了很多，'但是'要是你的代数成绩再提高一点的话，就更完美了。"

"但是"之前，约翰心里很受用，可一听到"但是"，马上就怀疑前面赞扬的可信度。他会觉得，这实际上是一句批评的话，心里便产生反感，家长想改变他的初衷就无法再实现了。

要是把"但是"这个词换成"而且"呢？效果肯定不一样。不妨试一下："约翰，我们为你自豪，这学期你进步了很多，'而且'要是你的代数成绩再提高一点的话，就更完美了。"

这一次，约翰将会很愉快地接受，因为他体会出了其中的夸赞和鼓励，这里是没有批评的，他肯定会很高兴地按照我们所希望的那样做。

对于敏感的人，通过巧妙的暗示让他们改变自己的错误，效果也是很明显的。罗得岛的玛姬·杰克是我们培训班中的学员，她给我们讲了这样一件事，她就是通过巧妙的暗示，让那帮懒惰的建筑工人不但为自己盖好了房子，而且还帮她把卫生打扫干净了。

刚开始，她下班回家发现，工人们干完活，老是弄得满院子木屑。但她没说什么，因为人家分内的活都干得很好。工人们走后，杰克太太就和孩子们一起把院子里的碎木头收拾起来，整齐地放到屋角。第二天一早，杰克太太看见工头说："昨天晚上收拾了一下，显得很整洁，我觉得这样看起来很好，而且也不冒犯邻居。"

果然，此后每天工人们下班后，都会收拾好自己的碎木头，整齐地堆放在一边，而且工头每天都来查看这项工作。

建议比命令更有效

预备役军人和正规军训练人员最大的不同，就是军人的发型。预备役军人认为，自己是普通的民众，所以就不愿意剪短头发。

美国陆军第542分校的士官长哈雷，训练一批预备役军官时就想到要解决这个问题。如果是正规军的话，他肯定会强硬地命令大家剪短，但这次他不打算这样做。他对这些预备役军官说："你们大家都是领导者。要是你们以身作则，那么就更能发挥领导者的风范。你们应该为听从你们的人做好示范，关于军人发型这个纪律我想你们都知道。即使现在我的头发已经比你们很多人短很多了，但我还是决定今天再去理一下。你们自己可以照下镜子，看看你们的头发能起到以身作则的作用吗？我相信大家都是很自觉的，我会给你们留下到营区理发部理发的时间的。"

最后，很多人果真去照了镜子，理了发。第二天训话时，哈雷就说，队伍中已经有些人有了领导者的风范。

"建议"一词往往强于"命令"，用"建议"不但不会伤害对方的自尊心，而且能使他更容易改正自己的错误并最终接受。

不久前，我很荣幸地跟美国著名的传记作家伊达·塔贝尔小姐一块用餐。我说到我正在写的这本书，于是我们讨论起相关的话题。伊达·塔贝尔小姐说，她当初为欧文·杨写传记时，采访了他的一个同事，这个同事跟欧文·杨一起共事3年了。在他们相处的这3年来，他从来没听欧文·杨对谁命令过什么，总是用建议的语气提醒对方，他不说"做"或"不做"，也没听他说过"要"或"不要"，而是说"你可以考虑一下……""你认为……"之类的话。

比方说，欧文·杨在看助手写的文件时，总是这样说："这句话这样写，你觉得会不会好一点呢？"他口述文件时，秘书在旁边做记录，他就经常会问："你觉得这样说怎么样？"他总是让助手们觉得，自己很受信任，可以放手按自己的意愿做事。欧文·杨从来不批评他的助手们，也不干涉他们，即使他们偶尔有过错，他也会让他们自己吸取教训并自己改进。

这样做的结果是，别人轻松地就改掉了自己的错误，而且心灵没有受到伤害。在与他共事的过程中，助手们感到自己是很重要的，因此都乐意与他合作，并从心里面接受他。

哪怕是长者，用粗暴的态度和人交流，不管他是否是善意地纠正别人的错误，都会引起他人的愤怒。

宾州威明市一所职业学校的教师唐·斯塔瑞里就做了这样一件蠢事。一天，他发现自己的学生把车停到了学校的车道入口，立刻勃然大怒。于是，这个学生还在上课的时候，他就忍不住闯过来大叫："是谁把车停在了学校的车道入口？"那个学生站出来了。唐·斯塔瑞里更加怒不可遏，非常粗暴地说："去！赶紧把你的车开走，否则我要用铁链子拖走了。"

这个学生是做错了事，他把车停错了地方。但是这件事之后，这位学生，包括他们全班同学，都很恼火唐·斯塔瑞里老师的所作所为，于是在很多事情上大家都和他对着干。

唐·斯塔瑞里本来可以不受到这样不公正的待遇的，前提是他礼貌一些的话。要是他这么说："请问是谁的车停在了车道上？"等同学回答后再说："请把它开走吧，这样别的车也方便进出一些。"那个学生有错在先，自然会很顺从地开走，也许心里还有些抱歉，正在上课的其他同学也不会看不惯他。

拉拢比排斥更有效

1915年是个让人心神不安的年份。这一年，欧洲正进行着惨烈的战争，规模和惨烈程度都空前绝后的战事已经进行一年多了，没人知道和平会在什么时候出现。

为了谋求和平，美国总统威尔逊派了一个总统私人代表作为和平使节去参加欧洲的参战各国会谈。当时的国务卿威廉·吉尼·拜扬是和平的拥护者，他也想去欧洲斡旋，可能他也觉得这次机会会给他带来好名声。可威尔逊总统却派了他的好友兼顾问克罗尼尔·爱德华·豪斯担任和平使节。豪斯感到很为难，怎样才能不得罪国务卿又做好这件事呢？

我们可从豪斯的日记里窥见他当时的心情，他写道："拜扬知道这件事后很失望，他本来已经做好去的准备。我就对他说'总统认为派正式官员不合适，会引起大家更多的注意，这可是一个敏感的问题'。"

你有否注意到？豪斯实际上在暗示拜扬，你的职务太高了，做和平使节显得太扎眼了。所以，后来拜扬就没什么可说的了。豪斯在此就显示出他与人交往的本领，他有办法让别人做他自己建议的事情，其实这也是一条与人打交道的重要原则。

美国前总统乌苏尔·威尔逊邀请威廉·吉布·麦克阿杜进入自己内阁时，也用了这样的原则。本来邀请人进内阁就是很高的荣誉，而且威尔逊用的"邀请"这一方式，这让麦克阿杜受宠若惊。让我们来看看麦克阿杜是怎样表达自己的心情的。

"威尔逊总统跟我说他要组一个内阁，要是我愿意担任财政部长一

职，他会非常高兴。他这样说让我心里很受用，他让我觉得，要是我应了这份差事，就是帮了他的大忙。"

不巧的是威尔逊并不总是这样为人处世。要是他一直坚持那样的做事原则，历史可能就不是现在这个样子了。他曾建议建立国际联盟，但却因这件事跟国会及共和党人闹得很僵。去参加和平会议时，威尔逊只带了自己党内的亲信，没有带共和党的领袖。他的理由是，参加国际联盟是他自己的建议，跟共和党人没关系，所以他们不必插手。这样蛮横的处世方式不但影响了他的政治生涯，也影响了他的健康，甚至寿命。而最直接的结果就是，导致美国没能参加国际联盟，历史没在他手里得到改变。

政治家们需要运用这个原则，这个原则对我们普通人来说也同样适用。要是想让一个人高兴地按照你的想法做事，你就必须让他知道，这件事无论对他本人，还是对于你自己，都很重要。

我认识这样一个人，他不得不经常谢绝各种演说邀请，甚至包括自己朋友的邀请，可他并没有让被自己拒绝的人感觉不舒服。让我们看看他是如何做到这一点的。他不是说自己忙，没时间去，也不多解释原因，而是首先对别人的邀请表示感谢，并为自己不能去表示抱歉和遗憾，然后再为人家找个他认为合适的替代者。换句话说，对方还没来得及感到被拒绝，就已经有新的目标等着他考虑了。

我们在德国的培训课程有位名叫亨特·施密特的学员，他为我们讲了发生在他食品店里的一件事。他的一位雇员总是忘记把价格牌摆在各种物品前面，顾客常因看不到价格而抱怨。他也曾多次提醒这个雇员，但总是不起作用，一切照旧。终于，施密特把这个雇员叫到办公室，对她说，以后全店跟标价牌有关的事都让她来负责了。之后，这个雇员的态度就完全改了，她把自己的新工作做得井井有条。

曾有人批判拿破仑幼稚，因为他给1.5万个部下都颁发了荣誉勋章，还把18个将军册封为"法国元帅"，把自己的军队称作"无敌陆军"。人们说，拿破仑对待跟随自己拼搏的士兵，就像是拿"玩具"在哄孩子一样。

拿破仑却这样回答："人就是被玩具统领的。"

这种运用"名头"的方法，拿破仑可以采用，我们一样也可以运用。让我们看看恩尼斯特·杰安特的例子。

她家附近的几个男孩子经常喜欢踩她的草坪。她已经提醒过他们几次，也恐吓过他们，但都不起作用。于是她就找了他们中最捣蛋的一个，任命他为"探长"，职责是把草坪里其他的孩子们赶出去。这位"探长"在草坪里点了一堆火，放上一块烙铁，然后威胁其他的孩子们，谁要是敢踏进草坪一步，就要挨烙。杰安特太太的问题就这样解决了。

克制比发泄更有效

瑞典艾普苏那的乔治·罗纳写信告诉我，他多年来都在维也纳做律师，他是在二战期间逃到那里的。

当时他一分钱也没有了，急需一份工作。他会好几种外语，因此想在进出口公司找到一份秘书的工作。但是，战争期间很多这样的公司都不需要人手，不过有公司答应，将他的名字存档。可在他所有收到的回信中，还有这样一封："你对我们的生意一窍不通，你还这么蠢笨，我才不要这样为我写信的秘书。即使需要，我也不会要你这样一个连瑞典文都写不好的人，因为你给我们的信中都是错字。"

乔治·罗纳看到这封信气坏了。那人竟然说他不懂瑞典文，说他的信错了，他就想回一封信气气对方。等冷静下来后，他又想："我怎么知道他说的不对呢？虽然我学过瑞典文，但毕竟不是我的母语，可能我真的有很多错误。要是真如他所说的话，我要想找份工作还真得好好学习。

也许他这样说是为了帮助我，虽然他的话难听了一些。我应该写信好好感谢他才是。"

他撕掉了刚写好的充满谩骂的回信，重写了一封感谢信："你不嫌麻烦写信给我，我真的很感谢，尽管你并不需要秘书，你还是给我写了回信。我为不懂得贵公司的业务而抱歉，我回信是想告诉你，我听人说你是行业的领军人物。我不知道自己的信中有很多文法错误，真是惭愧得很。以后我一定努力学习瑞典文，改掉以前的错误，感谢你帮助我提高。"

不久，乔治·罗纳又收到那人的回信，而且得到了一份工作。这件事让他明白，温和的回应最能消除怒气。

七

不悲观，上帝从未抛弃我们

—— 相信自己，你就可以创造奇迹

由于生理缺陷、性别、出身、经济条件、政治地位、工作单位等原因，常常造成悲观的心理。自卑对个人的身心和发展是不利的，也有碍于正常的人际交往。为此，我对自卑心理作了较为深入的研究，对如何克服自卑有了一些新的见解。对自卑者而言，即使让他在天堂里，他也会发现天堂高处不胜寒；而对自信的人而言，即使是一只停了的钟，也会认为一天有两次准时。自信者与自卑者的区别在于，白信者不是做与众不同的事，而是做事与众不同。

你相信自己可以获得大部分人的好感吗

当你走在街上，就很有可能会碰到它。当你走到与它相距10英尺的地方时，它会开始摇尾巴。如果你停下来，拍抚它，它就会在你的身边跳来跳去，让你知道它是多么地喜欢你。而且这样的热情表现后面，并没有隐藏什么其他的动机：它并不打算跟你结婚，也不是要卖给你一块地产。没错，它只是一只狗。

你是否问过自己，狗是不是唯一不需要为生活而工作的动物呢？母鸡需要下蛋，母牛需要产奶，金丝雀需要唱歌。而狗只需要给你友爱，就可以使生活得以保障。

在我5岁的时候，父亲曾用50美分给我买了一只小黄毛狗。它是我童年时代一切光明与乐趣的源泉，我给它起名叫蒂比。每天下午大约4点半左右，蒂比就会坐在前廊，用它那美丽的眼睛注视着屋外，静静地等待我。只要看见我摇晃着饭盒穿过矮树林，或者一听到我的声音，它就会像箭一般地飞奔过来，气喘吁吁地跑上小山，又跳又叫地来迎接我。

我们的友谊维持了5年，然而，在一个悲惨的晚上——我永远也不会忘记的那个晚上——在离我仅有10英尺远的地方，它被电击死了。这对我的童年时代来说，是一个难以忘怀的悲剧。

蒂比，你从来都没有读过心理学，你也不必去读。你可以通过你的直觉而知道这点——如果一个人真正关心别人的话，那么他在两个月内所结交的朋友，要比一个总想使别人关心自己的人，在两年内所交的朋友还要多。让我再重复一遍：你如果关心别人的话，在两个月内所交上的朋友，就会比一个需要别人关心的人，在两年之内所交的朋友还要多。但是，有的人就是一辈子都无法醒悟过来，总是想让别人对他们表示关心，正如我们都知道的那样。

显然，这种方法是没有用的。因为他们对别人并不感兴趣。无论是在早晨、中午，还是在晚饭之后，他们只关心自己。

纽约电话公司曾做过一个这样的调查，他们对电话中的谈话内容作了详细的研究，以了解哪一个词最常在电话中被提到。我想你已经猜到了，那就是第一人称的"我"。在仅仅500次电话谈话中，这个词曾被用过3990次。

当你看一张团体照片——其中也包括你在内时，你会先看谁呢？如果我们只是要在别人面前表现自己，只想让别人对我们感兴趣的话，我们将永远不会有太多真挚而诚恳的朋友。真正的朋友，不是以这种方法结交来的。

拿破仑试过这种方法，在他跟约瑟芬最后一次见面的时候，他说："约瑟芬，我是世界上有史以来最幸运的人；但是，此时此刻，在这个世界上你是我唯一值得依赖的人。"而历史学家们怀疑他是否真的能够依赖她。

亚佛·亚德勒，这位已过世的维也纳著名心理学家，写过一本书叫做《生活的意义》。在书中他说："对别人不感兴趣的人，对别人的伤害最大，他一生中的困难也最多。人类的失败，大都出于这种人。"

我读过几十卷关于心理学方面的书籍，但是却再也找不到比这句话对你和我更重要的了。我并不喜欢重复，但阿德勒这句话意义实在是太深远了。

信心可以改变人生

鲍丁火车厂的董事长撒慕尔·华克莱说："要是你对某个人表示尊重，那么你就很容易引导他，尤其是你对他的某种能力表示钦佩时。"换句话说，要是你想改变某个人的某个方面，首先要对他这方面的素质表示认同。正如莎士比亚所说："要是你缺少某种品行，那你就装作自己有就行了。"更令人称奇的是，跟对方说他有你所期待他有的那种品行，给他"一顶好帽子"，他就会努力向着你所希望的方向努力。

在《我与马依得荷林的生活》这本书中，古欧吉特·勃布朗为我们描写了一个比利时普通女孩的巨大变化。书中这样写道："饭店里绰号叫做'洗盘子的玛希'的女孩给我送饭来了。因为最开始的时候她的工作就是洗盘子，加之她长得丑，斜眼，八字脚，看起来很笨的样子。

"有一次，她给我送的是通心粉，我对她说'玛希，你没看到自己内在的光华'。

"她早已经习惯了各种不敬的言语，好像面临着危险的样子，站在那儿发呆，后来才想起来把装通心粉的盘子放在桌上，然后纯真地叹了口气说'我永远都不相信我有这东西'。她没追问我是谁，只是不停地重复着刚才我说的话离开了。她认为我不是在跟她开玩笑。但不久之后，人们一点点看到她的变化，她也渐渐被人们尊重了。因为她确实相信，自己心里是有些内在的光华的，于是她开始注意自己的形象，终于显示出少女应有的光华。

"事情过去了才两个月，玛希就宣布自己要嫁给大厨师的侄子了。她说'我要成为一名淑女'。她还跑来感谢我。就因为我给她了一个鼓励，她的命运就这样改变了。"

"洗盘子的玛希"只是被给予了一顶美丽的帽子，她光辉灿烂的人生就由此开始了。

当别人需要时，你也可以给予他自信

我的朋友都40岁了还是单身，好在最近他终于订婚了。未婚妻要他去学跳舞，他跟我发牢骚说："我的上帝！我可不想学跳舞，自打20年前我开始跳舞后，我一直都是这么跳的。可之前给我上课的舞蹈老师说，我跳舞的方法根本不对，必须把我二十多年的习惯扔掉，再重新学。这让我很沮丧，一点学跳舞的兴趣都没有了，干脆不去学了。

"第二个教我的老师却不是这样说的，我很容易就接受了。这个老师说，我跳得有点过时，不过基础还不错，只要我再学一点新东西就很完美了。我第一位老师，总是说我不好的地方，这让我沮丧。而第二个老师，则经常夸我好的地方，把我不好的地方看得很淡。比方说，她会称赞我韵律感好，天生是块跳舞的料。其实我心里清楚得很，我不可能是位真正优秀的舞者，但我还是喜欢跟第二位老师学跳舞。虽然她这样说可能是因为钱的缘故，但我不在乎。因为我觉得，就是因为她说我天生有韵律感，才有我现在的进步，这都是她鼓励的作用，是她让我有信心解决自己的问题。"

要是你对自己的孩子、爱人、下属说他们在某方面缺少天赋，那你就犯了致命的错误，这样会令他们丧失学习的积极性。反之，要是你大度一点，给他以充分的鼓励，让他们相信他们能干好，自己还有很大的潜力，他们就会不断努力，不停地进步。

人际关系专家罗维尔·托马斯就用了这个方法给人以信心和勇气。一次，我跟托马斯夫妇共度周末，他们请我玩桥牌。可是我却真的一点也不懂得怎么玩，我看桥牌简直就是一个谜，所以我很坦白地对他们说我一点都不懂桥牌。托马斯却说："不会这样的。戴尔，桥牌很简单的，只要你记住并作出判断就行了。真的，戴尔，这对你来说太容易了，你连写记忆文章的经历都有，这点绝对难不倒你。"

不知不觉，我就坐到了牌桌前。是托马斯让我鼓起了信心，让我觉得桥牌确实很容易。

说到桥牌，我又想起了艾利·库柏森。他曾写过有关桥牌的书，被译成十几种语言在世界各地出版发行，销量达数百万册以上。但他告诉我，他今天的成就都来自一位年轻女士的鼓励，否则自己的人生肯定又是另一个样子。

1922年他刚来美国的时候，想找一份教哲学和社会学的工作，却没机会，后来就卖煤，又卖咖啡，但都失败了。在做这些工作之余他也玩桥牌，但他从没想过把这当作终身职业。当时他玩牌的技术还很差，而且又比较固执，玩一圈就提出问题，还不停地跟人讨论，因此大家都不愿意跟他玩。

后来他认识了美丽的桥牌老师约瑟芬·迪伦。他们相爱了，结婚了。约瑟芬发现，自己的丈夫总喜欢用心研究自己的牌，就对他说，你在桥牌方面有很大的天赋和潜力。就是这样的鼓励，让他决定把桥牌当作自己的职业。

俄亥俄州辛辛那提卡耐基班上的导师琼斯，为我们讲了这样一个故事，他就是用这个道理改变了自己的儿子。

"我儿子大卫15岁了，自从1970年来他来到辛辛那提后，一直跟我生活在一起。他过去的经历很坎坷。1958年的一次车祸，使他的头部受伤，现在额头上还留有一道难看的疤。1960年，我和他妈妈离婚了，他跟着妈妈到得州的达拉斯生活。来我这之前，他是达拉斯特别班里的学生，学习有些迟钝。学校认为他的大脑受过伤害，造成了学习上的障碍，所以让他留级了两次，因此到现在为止，他还是七年级的学生。他不会背诵乘法口诀，数数的时候用手指，而且朗诵的时候也不流畅。

"好在他也不是一无是处，他喜欢研究收音机和电视机，梦想成为一名电视机技师。我非常支持他这唯一的爱好，我对他说，要想实现梦想，就需要先学好数学。于是我就帮他补习数学，给他买了包括加减乘除的四组彩色卡片。我跟他一起看卡片，让他把正确的答案放在空白栏里。要是他弄错了，我会说他是对的，然后再放到正确的位置。花费了好大的时间和精力，他终于都放对了。此后每晚我都让他再完整地放一次，并为他计时。我告诉他，要是他只用8分钟时间就能把所有的卡片放到正确的位置，那就不用每天都做了。当时这对他来说根本是不可能的事。第一次，他用了52分钟，第二次，用了48分钟，后来，45分钟，40分钟，41分钟……

"他每有进步，我们就庆贺一番。后来他已经用不了40分钟了，我把他的妈妈叫回来，我们抱着儿子跳起吉格舞来。之后奇迹出现了，到月底，他已经能在8分钟之内正确地放完所有的卡片。我不断地鼓励他再进步，他终于发现，学习不再是一件困难的事了，取而代之的是对学习的乐趣。

"他的数学成绩因此不断地进步。没多久，他就拿回一张成绩为B的数学成绩单，这对以前的他来说简直是个神话，可现在竟然实现了！与此同时，在其他方面，他也有了惊人的进步，阅读能力提高了，还表现出绘画的天赋。期末的时候，他在学科老师的建议下筹备参加一个展览比赛。利用杠杆的原理，他设计并制造了一个高难度的模型，充分展示了他的绘画和动手技巧，而且显示了自己在数学、物理上的才能。这次科学展览比赛，他获得了第一名。他接着参加了辛辛那提市科学展览的比赛，又获得了全市第三名。"

正是鼓励让大卫做到了这一切。这个曾经留级两年的学生，被学校认为大脑有问题的学生，同学口中的"现代原始人"，当他发现学习并不是一件困难的事时，奇迹一个个出现了。从那时一直到高中毕业，他都高居荣誉榜。在高中期间，他还被全国荣誉协会选中。

当大卫发现学习不是一件困难的事时，他的整个人生都为此改变了。

当生命遭遇挫折，工作就是对我们信心的支持

也许有人读过《与冒险结缘》这本书，这相当于著名的女冒险家奥莎·琼的自传。如果非要说女人可以跟冒险画等号的话，那这个女人一定就是奥莎·琼了，她告诉我她是这样挨过了挫折。

奥莎·琼16岁那年，她未来的丈夫马丁·琼把她从堪萨斯州查那提镇的街上抱起来，一直到婆罗洲的原始森林里才把她放下，他们就这样结婚了。此后的25年里，这对夫妇几乎踏遍了全世界，拍摄过亚洲、非洲日渐绝迹的珍稀野生动物影片。9年后，他们回到了家乡美国，到处演讲，到处放映他们自己拍摄的电影。

一天，夫妇二人坐飞机从丹佛城出发，不幸地发生了撞山事故，马丁·琼当时就死了，奥莎也被医生宣判终生再也下不了床。

医生们这样说，是因为不了解她的个性。他们没想到，3个月后，这个女人就从病床上下来了，靠着一辆轮椅，照样发表演说。她受伤后的一百多次演说，就是靠着这辆轮椅完成的。她完全可以不必这样做的，她却告诉我："我如此卖力地发表演说，就是为了挤走我头脑中那些悲痛和忧伤。"

她是从上世纪的丹尼森的诗歌中发现了这个方法的，诗中说道："我必须让自己完全沉浸在工作中，否则就会完全沉浸在绝望中。"

海军上将拜得也发现了这个真理。他曾在冰雪覆盖的南极小屋里孤独

地住了5个月。就在这个比美国和欧洲加起来都大的一块陆地上，这片无人知晓的冰天雪地里，几乎没有任何其他生灵的空寂中，他一个人在此孤零零地住了5个月！

天气冷得出奇，风吹过耳梢，他感觉自己的呼吸已经被冰冻了，冰面剔透如水晶。他在《孤寂》一书中讲述到，在这段难过又黑暗的日子里，他只有让自己忙碌起来才不至于疯掉。

他写道："夜晚熄灯之前，我必须安排好第二天的工作，明确交代下一步的行动。如用一个小时的时间检查逃生隧道，用半个小时的时间挖横坑，用一个小时的时间查看装燃料的容器，用一个小时的时间在藏飞行器的隧道墙上挖放书的地方，用两个小时的时间修拖自己的雪橇，等等，什么时间做什么事都安排得满满的。只有做这些的时候，我才能感受到生命的意义，我又可以主宰自己了。要是我不这样做的话，生活就没了方向，而没有方向的人生，就失去了为人的意义，最后肯定会精神失常而崩溃。"

所以，要是人们某段时间因为特殊的事情而忧虑的话，记住一点，工作就是忧虑最好的治疗方法。已故哈佛大学医学院教授理查·科博特说："看到很多病人因工作而得到治愈，我感到欣慰。这些人的病是由于忧虑、恐惧、怀疑等不良情绪引起的。工作给人们的力量，就像爱默生永存的自信心一样。"

悲观才是最可怕的悲剧

《时代杂志》曾刊登过这样一篇报道，一名战士受伤了，他被碎弹片击中了喉部，已经输过七次血了。他给医生写了一张小纸条，问："我还能活吗？"医生说："能。"他又写一张小纸条："我还能说话吗？"医生又说："能。"听完医生的回答，他在小纸条上写道："那我还担心什么！"

为什么你不立即停下来扪心自问："我还有什么可担心的？"你会发现，自己担心的所有事情，跟其他人相比实在微不足道，根本没什么大不了的。

生活中大约有90%的事情是对的，只有10%可能错了。我们想要得到快乐，就该把自己的精力集中在那90%正确的事情上，不要理会那10%的错误。要是你想担忧、难过，想得胃溃疡的话，那就集中全部精力想那10%错误，不要理会那90%的好事吧。

英国很多新教教堂里都贴了"多思考、多感激"之类的话，每个人都该把它们放在心上。多想想那些值得我们感激的事情，为今天所有的一切感谢上帝。

《格列佛游记》的作者斯威夫特，可以说是英国文学史上最悲观的作家。他为自己不好的出身而悲哀，因此每年生日都穿上黑衣并绝食一天。虽然悲观绝望，但他也认为开心和快乐能带给人积极和健康。他说："世界上最好的医生是它们三个——节食、安静和快乐。"

我们每时每刻都享受着"快乐医生"的免费服务。只要我们把注意力放在我们所拥有的那么多财富上，这些超过阿里巴巴珍宝的财富上。你愿意用一双眼睛挑取一亿美金吗？你认为你的双腿卖多少钱合适？还有你的双手、你的听觉、你的家庭……这所有财产加一起，你会发现自己是多么富有，哪怕洛克菲勒、福特和摩根三个家族所有的黄金都给你，你也不愿意交换。

有多少人又能真正理解这些？很少。正如叔本华所说："我们很少想到自己所拥有的，却时刻想着自己所没有的。"这才是人生最大的悲剧，它带给人的痛苦，也许比历史上所有战争和疾病还要痛苦。

正是这一点，几乎毁了约翰·柏马的家庭，差一点使他"从一个正常人变成一个脾气恶劣的老家伙"。下面就是他讲述的自己的故事。他说：

"我退役后，开始做生意。我夜以继日地努力工作，终于使一切进展顺利。但很快我就发现问题了，我没有渠道买需要的零件和原料，这使我可能要放弃自己的事业。因此，我心里充满了了担忧，从一个正常人变成一个脾气恶劣的老家伙，脾气也愈加古怪。情况越来越糟，几乎要毁掉我幸福的家庭。直到一天，曾是我下属的一个年轻士兵说'约翰，你应该愧疚，这样子好像全世界只有你才烦恼一样。即使放弃了你的事业又怎样呢？等一切正常后你还可以重新来过。你本有更多值得感激的事，可你却在不停地抱怨。上帝！我真希望我就是你。你看看我，只剩一只胳膊，还烧伤了半边脸，可我从来不抱怨什么。要是你继续这样子的话，不但会失去自己的事业，可能还要失去家庭、健康、朋友'。

"一席话惊醒梦中人，我发现自己正走向不归路。于是我决心改变自己，要找回原来那个我。好在现在我已经做到了。我的另一位朋友露西莉·布莱克，在明白这个道理之前，几乎也快要崩溃了。我们是多年的朋友了，曾一起在哥伦比亚大学新闻学院选修短篇小说写作。九年前她住在亚利桑那州的杜森城时，生活发生了很大的变化，让我们来听听她的故事。

"她整天忙得不可开交，一边到亚利桑那大学学风琴，一边在城里经营一所语言学校，同时还到沙漠柳牧场教音乐欣赏课。除此之外，她还要参加各种宴会、舞会，在星空下骑马。有天早上，她突然心脏病发作，整个人都垮了。医生除了留下一句'你必须躺在床上静养一年'，没说任何鼓励她的话，而她不知自己能否完全康复。

"要在床上躺一年，像个废人一样，而且可能还会死去——这个情景吓坏了她。她不停地问自己，为什么是她？为什么她要遭此不幸？她做了什么要受这样的报应？她哭闹着抱怨命运对她的不公，心中充满怨恨。但不管怎么样，她只能听医生的话，躺在床上接受命运的宣判。她有个艺术家邻居，叫鲁道夫。他对她说'可能你觉得这样在床上躺一年太痛苦了，实际上也不完全是。你可以用这段时间好好认识自己。我相信你的思想会有很大的提高，可能比你之前半辈子还能学习到更多的东西'。听了他的话，她心里安静多了，她让自己尝试着学习新的价值观，阅读一些有用的书。一天，她听到一个广播电台的新闻评论员说'你应该谈谈你自己了解的事情'。这样的话以前她听过很多，现在才真正明白它的含义。她决心以后只注意那些对她生活有积极意义的事情。每天一早，她就让自己想一些积极向上的事情。她不痛苦，她的女儿很可爱，她眼睛好使，耳朵也好使，收音机里正放着优美的音乐。她有足够的时间看书学习，她胃口很好，睡眠也不差。她还有很多要好的朋友，这使她的医生不得不挂一个'每次只许接待一个客人'的牌子，而且限定时间……她应该为所有这一切感到高兴。

"事情已经过去九年了，现在她的生活丰富生动。她很感激这一年的经历，那是她在亚利桑那州度过的最有价值、也最快乐的一年。至今她还保持着当时的习惯，每天早上想想自己有多少得意的事，这是她今生最宝贵的财富。有时候她真的很惭愧，因为她怕到死自己还不了解生活的真谛。"

亲爱的露西莉·布莱克，也许你还不知道，你所明白的正是萨缪尔·约翰逊博士在二百多年前就发现的道理："养成观察事物积极面的习惯，比一年赚一千镑还要重要。"

我想提醒大家的是，这句话并非出自一个乐天派的人之口。说这话的人，曾经历过20年的痛苦，缺衣少食，终成为一代名作家和历史上最有名的演说家之一。

积攒正向能量，让你重拾自信

我认识哈罗·艾伯特已经很多年了，他曾经是我的教务主任。我们约好在堪萨斯城见面，他开车送我回密苏里州贝尔城我的老家。在回去的路上，我问他："你是怎样让自己快乐的？"他给我讲了一个很有意义的故事，使我终身难忘。他说："以前我也常常为很多琐事而烦心，可1934年的一个春天，我行走在韦伯敏西道提街时，发生了一件令我难以忘怀的事，从此我再也不会为人和事而忧虑了。整个事件也就10秒钟的样子，可我在那10秒钟体会到的道理，比过去10年里学的还要多。

"我曾在韦伯城做了两年杂货店生意，不仅花光了所有的积蓄，而且还借了一大笔债，光还债就还了七年。杂货店关门后，我准备找工矿银行借点儿钱，然后到堪萨斯城找份工作。当时，我像个斗败的公鸡一样垂头丧气地走在大街上。这时，迎面'走'来一个没腿的人，他坐在一个小木头平台上，平台下面是从轮滑鞋上拆下来的轮子。他两只手各抓着一小片儿木头，他就这样撑着地让自己滑过。我见到这幅场景的时候，他已经滑过了街，正准备滑向几英寸高的人行道。他准备把这辆小车子翘起来时，我俩的目光相遇了。他对我笑了笑，'早啊先生，这几天天气不错，不是吗'。他看起来很快乐。我就这样看着他，突然发现自己好富有。

"我四肢健全，能走能跑。我忽然为自己的自怨自艾而羞耻。我对自己说，他没了腿还活得这么开心，这么快乐，我有两条腿当然也能活得更好。我觉得自信又回到了我身上。本来我只想向工矿银行借100块钱的，现在我敢借200块了。本来我想到堪萨斯城试试看能不能找到一份工作，现在敢大声地对别人说，我要到堪萨斯城找一份工作。结果，我借到了200块，也找到了工作。

"其实我们每天都生活在美丽的童话里，可很多时候我们却视而不见、充耳不闻，为什么呢？

"现在我浴室的镜子上帖了这样几句话，以便让自己每天早上就能看到——人家骑马我骑驴，回头看看推车汉，比上不足，比下有余。"

我曾问艾迪·雷根伯克："当你跟同伴们迷失在毫无希望的太平洋里，在救生筏上漂流了21天时，你认为自己学到的最重要的是什么？"他回答说："这次经验让我学到的最重要一课是，要是你还有足够的新鲜水可喝，有足够的食物可吃，就不要再抱怨任何事。"

不恐惧，吸取他人经验可以获得勇气

当众演讲这门艺术并不是封闭的，也并不像许多教科书所述，只有经过多年的声音美化过程与非常艰苦的修辞学训练，才能取得成功。我的全部教学生涯几乎都在向人们证明一点：当众演讲其实并不难，只要遵循一些虽然简单但十分重要的规则即可。

1912年，在纽约市125街的青年基督协会，我刚开始从事教学工作，那时我对于这一点和学生们同样懵懂无知。我的早期教育训练方法，和我在密苏里州的华伦堡上大学时所接受的教育方法差别不大。然而不久我就发现自己走的是一条错误的路：我对那些商界人士的教育竟然和大学一年级新生一样。我发现只是模仿韦伯斯特、柏克匹特及欧康内尔（注：以上人物皆以演讲著称），没有任何好处。学生所需要被教授的是如何在商务会议中足够勇敢地站起来，对在场的人进行明晰连贯的陈述。于是，我抛弃了全部教科书，只是站在讲台上，用一些简单的法则，与那些兄弟们一起埋头苦干，让他们的陈述词达意尽、打动人心。果然，这种方法有了一定效果，因此，不少学员们毕业以后仍希望再回来，学习更多的内容。

如果有机会的话，我希望大家能到我家里看一看世界各地的学生们寄来的感谢信。有的信来自商界的领袖，你可以经常在《纽约时报》和《华尔街日报》上看到他们的大名；有的信来自州长、大学校长、国会议员和娱乐圈的明星们；还有的信来自企业里面的主管人员、技术熟练或生疏的工人、工会会员。他们或者已接受过一些训练，或是从未接受过训练。当然更多的信来自家庭主妇、教师、牧师，他们都是默默无闻的平凡人。

我开始考虑此书的写作计划时，马上有个人闪现在我脑海里。我教过的数千名学生里，他对我产生了很大影响。

一位名叫肯特的成功的费城企业家，参加训练班不久以后邀请我共进午餐。在餐桌上，他倾身对我说："卡耐基先生，虽然我曾有很多机会在公开场合讲话，可是在潜意识里我一直试图躲避和人的正面交流。然而现在我已经当选为大学的董事会主席，必须常常主持各种各样的会议。我很担心我在暮年还能不能学会当众讲话？"

在我的训练班中像他这样的人很多，经过一段时间的训练后他们都取得了很大成效。因此，凭借自己的经验我向他保证，他一定会取得成功。

三年后，我们在企业家俱乐部一起吃午饭的时候再次相聚了。就在同一个餐厅，同一张桌上，他笑着从口袋里掏出一个红色小笔记本，我看到上面记录着他接下来几个月被预定的演讲安排时间表。"拥有演讲的能力，演讲时所获取的愉悦，以及我对社会提供的更多服务……这些都是我一生里最兴奋与满足的事情。"他非常自豪地说。

事情远远不仅如此，肯特先生还非常得意地跟我说，他的教区曾经邀请英国首相来费城演讲，而肯特先生就是负责向听众介绍这位杰出政治家的人。然而记得三年前，他就在这个桌旁倾身问我，他能否有当众侃侃而谈的一天。

他的演讲能力取得了这样神速的进步，这是不是超出寻常了？不！像肯特先生这样取得成功的例子数不胜数。再举个事例吧，几年以前，布鲁克林的一个医生——我们就称为科帝斯大夫吧，冬天时他到佛罗里达州度假，那个度假地离著名的棒球队巨人队的训练场不远。科帝斯大夫作为一个热心球迷常常去看他们打球，慢慢地，他就和球员们成了好朋友。

有一天，他受邀请参加球队的一次宴会，一些著名的客人被邀请上台讲话。在侍者送上咖啡与点心后，科帝斯大夫在没有任何心理准备的情况下，听到宴会主持人说道："今天晚上我们有一位医学界的朋友在这里，欢迎科帝斯大夫给我们讲讲棒球队员的健康问题吧。"

对于这个问题他是不是做好了充分准备呢？当然。他称得上是世界上对此问题准备得最为充分的人——他研究卫生保健，已经做了三十多年医生。他能坐在那儿和周围的人高谈阔论，甚至说上一整晚。然而，要是让他站起来，面对一群人却是另外一回事，即便是讲同样的问题。他惊慌失措，心跳越来越快。他也曾努力试着平静下来，但是心脏像是要停止跳动一样。在他此前的人生中，从来没有作过公开演讲。在众人面前，他脑子里的种种想法好像都长翅膀飞走了。

该怎么办呢？所有客人都在鼓掌，都注视着他。他摇了摇头，以示谢绝，然而却引发了更加热烈的掌声。"科帝斯大夫！演讲！演讲！"大家的呼声越来越响。在极度沮丧情绪的支配下，他明白自己一旦上台演讲，肯定会失败，甚至可能五六句完整的话都说不出来。于是他站起来慢慢地转身背对朋友，默默走出去了，他陷入深深的难堪与耻辱之中。

一回到布鲁克林，他马上就报名参加了我的演讲训练课——他再也不想陷入一句话都不敢讲的困境中去了。像他这样的学生，是老师们最乐意教授的，因为他的需求很迫切，非常希望提高当众演讲能力。他的坚定愿望使他能够毫无怨言地刻苦训练，不缺席任何一课。

通过努力学习取得的进步让他自己都觉得惊讶，超出了他的期望值。第一阶段课程上完的时候，他的紧张情绪就不见了，自信不断增强。两个月以后，他已经成为班里的明星演讲家，而且开始接受到各地演讲的邀请。现在，他非常喜欢演讲的欣喜感与获得的荣誉，更加庆幸他在演讲过程中能够交到更多朋友。

有一位纽约市共和党竞选委员会的委员，在听过科帝斯大夫的一次演讲后，马上邀请他在全市各地给共和党进行竞选演说。要是这位政治家知道，他邀请的这位演讲家一年前还曾因害怕面对观众而沉默，在羞愧中离开了一个宴会，他肯定会大吃一惊。

获得勇气、自信和面对公众演讲时清晰、冷静思考的能力，并不像许多人想的那样困难——甚至或许不到其困难的十分之一。就像学打高尔夫球那样，只要愿望与恒心充分，任何人都能发展出潜在的能力。

　　已经去世的大卫·顾立区——顾立区公司的董事长，有天到我的办公室告诉我说："在我此前的人生中，每次面对众人讲话时总是无比恐惧。但是身为董事长不可能不主持会议。董事们已经相互熟悉，大家围桌而谈时，我可以对答如流，毫无困难。可是只要一站起来，我就会有莫名其妙的恐惧感，说不出一个字。这种情况已经持续了很多年，非常严重，我甚至担心你是不是真的可以给我提供一些帮助。"

　　"哦，"我说，"既然你对我是不是能提供帮助仍表示怀疑，为什么还来找我呢？"

　　"有一个原因，"他回答说，"我有一个会计师，专门负责处理私人账目，他是个很害羞的人，进自己的办公室时，他必须从我的办公桌前经过。长久以来，他都是小心翼翼、蹑手蹑脚的，盯着地面不敢抬头，更难得说句话。然而，最近他却变了个样，神采奕奕，走进办公室的时候抬头挺胸，并大方地跟我问早安。我惊奇于他的这种改变，于是就问他是什么促使他变化的，他跟我说是因为参加了你的训练课程。正是他身上的变化使我来请您帮助的。"

　　我告诉顾立区先生："定期来上课，并严格遵循我的要求，几个星期内，你肯定会喜欢在众人面前讲话了。"

　　"要是你真的能把我改变，"他回答道，"那我可就是全国最快乐的人了。"

　　他坚持上课而且进步很快。三个月以后，我邀请顾立区先生参加一个三千人聚会，聚会在阿斯特饭店舞厅举办，希望他谈谈他是怎样从演讲训练课中获益的。他因为事先有约，对自己不能前来表示了歉意。可是第二天，他又打电话告诉我说他要来："我取消了约会，讲演是我欠你的。我要给听众讲讲训练带给我的益处，用我的故事鼓励人们去消除恐惧。"

我原打算给他两分钟时间，结果面对三千人，他说了足足十几分钟。我亲眼看到过不下数千个相似的奇迹。这项训练彻底改变了很多人的人生，有些人在职场上得到了他们梦寐以求的升迁，另外一些人在商场上获得了很多利润。有的时候，一场演讲足以促成一件事情。

听起来像是奇迹，对不对？它确实是个奇迹——在20世纪战胜恐惧的奇迹。

不自卑，每个人都是独一无二的

一个成熟的人根本没有时间去想自己哪些地方不如别人，他们从来不为自己没有比尔·史密斯的自信或吉米·琼斯的积极态度和进取精神而担忧。他们经常作自我批评，而且清楚地知道自己的弱点，但他们并不为自己的弱点哀叹，而是花时间去改进它们，他们清楚地知道自己的基本目标和动机。

他们对自己和别人都抱有宽容心，所以在独自一人的时候并不为任何事情苦恼。心理学家说，不喜欢自己的人也无法喜欢别人。同样，对周围的一切事物和身边的所有人都抱仇视态度的人，讨厌自己和虐待自己同胞的人，肯定会有着强烈的自我厌弃。

哥伦比亚大学的教育学教授亚瑟·杰西尔博士曾提出这样的观点：通过帮助儿童或成人了解自己这种方式，可以帮助他们建立自我接受的成熟态度。在他的《当教师与自己面对面的时候》这本新书中，他写道："自我接受对老师更为重要，因为他们的生活和工作中充满奋斗、欣慰、希望和苦痛。"

现在，医院里有很多病人都是那些对自己感到厌恶的人，而那些遭遇感情和精神困扰的人们都是无法接受自己、不能和自己好好相处的人。

在这儿，我不想分析为什么会产生这种不幸的情况。我只是怀疑，在我们这个竞争激烈的社会里，过分地强调物质上的成功和社会地位的价值，以及把赶超别人当作自己的目标，这与现代人精神上的疾病有很大关系。

自然界是神秘的，处处充满着多样性，而人类自身也一样有着千差万别。前英国科学促进主席、人类学专家亚瑟·凯斯爵士就曾说过："世界上没有哪两个人曾经或即将拥有完全相同的人生历程……每个人的生命体验都是与众不同的。"是啊，即便我们本质上都是由相同的材料组成，但我们每一个人的生命体验仍是与众不同的。

认识并理解这个事实是取得成熟智慧的必要条件，也是我们与自己同胞交流沟通的桥梁。如果我们不尊重对方是个"个人"，我们就没有办法与他进行沟通或与他建立任何有意义的关系。

听起来这话不难，但做起来却十分困难。虽然我们的国家已经废除了阶级意识，但阶级意识依然支配着我们的思想和行为。我们通常不把一个人当作"个人"看待，而是把他们归到一类阶层里，把他人视为一个群体中没有姓名、没有面孔的一分子。如"普通人"、"中下阶层"、"低收入人群"、"白领阶层"、"蓝领阶层"、"咖啡座人士"、"消费大众"等就经常在统计栏或调查问卷中见到。这充分显示出我们不愿意或是缺乏把他人当作"个人"看待的能力。

我们被分类、归纳在形形色色的不同的群体中。我们在生活中受到不同方面的调查，那些社会调查员对我们是那么熟悉，他们甚至连我们喝几杯咖啡、多少人有汽车、汽车的品牌，我们听什么样的广播、看哪类电视节目，以及我们每年过多少次性生活、过得质量怎样等都调查得一清二楚。"调整适应"、"群体整合"和"社会机动性"是大家都在强调的，削弱自己的个性来趋合所属的群体被认为是值得尊敬的行为。

绝对的个人主义对我们来说已经不再存在，这就是我们为什么觉得自己已经失去独立性，在自己的思想和行为与他人不同时，心里会有一种不舒服的感觉的原因。然而，在内心深处我们每个人仍然希望自己能够独一无二地生活，那种对与众不同的渴望并不能被分类的压力、认同的压力所阻止。

不模仿，活出最好的自己

"对于这个世界来说，你是全新的，以前从没有过，从天地诞生那一刻一直到现在都没有一个人跟你完全一样，以后也不会有，永远不可能再出现一个跟你完完全全一样的人。根据遗传学原理，你之所以成为你，是你父亲的23对染色体和你母亲的23对染色体相互作用的结果，这46对染色体加在一起决定了你的遗传基因。"据阿伦·舒恩费教授说，"每一条染色体里可能有几十个到几百个遗传因子。在一定的条件下，每个遗传因子都能改变人生。"你看，我们就是这样"既可怕又奇妙"地诞生的。

即使你的父亲跟你的母亲注定要相遇并结婚生子，但生下你的机会也只是三十亿分之一，也就是说，要是你有30亿个兄弟姐妹，你可能与他们完全不同。这不是科幻片，这是科学事实。

要是你想就这个问题了解更多一点的话，我推荐你一本书，阿伦·舒恩费的《遗传与你》。我在这只想跟你探讨有关保持本色这个问题，因为我对此深有感触。我对于自己要谈的问题十分清楚，因为我曾为此付出惨重的代价，有过痛心的经历。

年轻时，我从密苏里州老家走出来，到纽约这样的大都市，成为美国戏剧学院一名学生。我当时的想法是成为一名演员，而且我认为这是一条成功的捷径。我想得很简单，而且觉得自己的计划完美，我很奇怪为什么成千上万富有野心的人发现不了这一点。我是这样想的，我先去学当时名演员的演技，将他们所有人的优点都学会，这样我就成了一个集所有人优点于一身的全能演员。这是多么愚蠢、多么荒谬的想法，我居然为这个理想浪费了那么长时间。最后我才明白，我不可能成为任何人，保持本色才是我最大的成就。

经历本该让我成长，但事实绝非如此。我仍没有吸取教训，以至于不得不再接受一次教训。几年后，我打算写本书，我希望这本书成为公开演说中最好的一部书。在创作的过程中，我又犯了与演戏时一样的错误，竟计划将所有作者的观点都搬过来，全部放进一本书里，让我的书成为一部包罗万象的百科全书。为此，我买了十几本有关公开演讲的书，用了一年时间提炼所有的概念。到最后我才发现，自己又干了蠢事，这本拼凑观念形成的书很做作，既无聊又沉闷，没有可读性。不用说，我把一年的心血全部丢进了垃圾篓，一切都要重新开始。这次经历后，我对自己说："你一定要活出自我，无论怎样，都不要变成别人。"

在儿童教育领域曾经写过13本书和数以千计的文章的安古罗·派屈则认为："世上最痛苦的事，莫过于想做其他人，或者除自己以外其他的东西了。"

好莱坞尤其流行做同自己迥然相异的人。好莱坞最知名的导演之一山姆·伍德说，他最头疼的事情就是启发一些年轻演员，让他们保持自己的本色。大家都愿意做二流的拉娜透纳、二流的克拉克·盖博，而这是最让观众们无法容忍的套路。为此，他不得不整天提醒他们："你们需要更新的东西。"

在导演《万世师表》和《战地钟声》之前，山姆·伍德曾在房地产行业打拼多年，由此知道很多推销技巧。在他看来，同样的道理在其他生意或电影事业中同样适用。要是你亦步亦趋、人云亦云，反而有画虎不成反类犬的坏效果。他说："我的经验是，最好的方法就是丢开那些装腔作势的家伙。"

我曾问素凡石油公司人事部主任保罗先生，你觉得求职者最常犯的最大错误是什么？保罗先生曾与六万多个求职者面谈过，出版过《求职的六种方法》一书，他回答道："那就是不能保持本色，不能以自己的本来面目示人。他们对待招聘者并不坦诚，老是回答一些自以为对方想要的答案。"这种做法当然没有一点好处，谁也不喜欢聘用一个伪君子，就像谁也不想收假钞一样。

一个女孩子历尽艰辛才明白这个道理。她的理想是成为一名歌唱家，但是她长得不够漂亮：脸长，嘴大，牙齿暴露。她第一次公开演唱是在新泽西州的一家夜总会，其间她一直试图拉下上嘴唇盖住暴露的牙齿，希望显得漂亮些，效果刚好相反，结果出尽了洋相。

她自认为自己就这样失败了，不过当时在夜总会听过她唱歌的一个人发现了她，他认为她很有天分，就说："我一直在欣赏你的表演，知道你想掩盖自己的缺点，你是不是觉得自己暴露着牙很难看？"她说觉得很难看，他继续说："难道长了龅牙的人就应该觉得羞耻吗？不要掩盖什么。张开你的嘴，要是你不这么在乎的话，观众可能也会喜欢的，也许那些你想掩盖的东西反而可以给你带来好运呢。"

女孩接受了他的忠告，不再刻意掩盖自己的牙齿，演唱时只想着观众。她张开嘴巴尽情地欢唱，终成为娱乐界一名明星。许多演员到现在还刻意模仿她呢！

著名心理学家威廉·詹姆斯曾谈论过那些从没发现自己的人。他认为，普通人只发挥了自己10%的潜能，与我们能达到的程度相比，我们最多算是觉醒了一半。我们身心两方面的能力，我们只用了其中的一小部分。换言之，人只活在自己体内有限空间里的一小部分里。我们有很多能力，可不懂得怎样利用。

我们都有这样的能力，因此不要浪费一秒钟为自己不是别人而苦恼。

不苟求，展现自己最好的一面

　　一篇演说、一个人以及一件艺术品的失败通常都不是因为小缺点。历史及地理错误在莎士比亚戏剧里经常见到，狄更斯小说里的某些段落也有瑕疵。然而这并不阻碍这些作品受到人们的喜爱，对于它们我们更在意的是它的优点而非缺点。这就如我们交朋友时注重的是他们的优点，而不是注意他们有什么缺点。

　　想要取得进步、突出自我就要抛开缺点，努力发挥自己的长处，展现自己最好的一面。对于错误我们要纠正，然后尽快地忘掉它们。

　　我们不能有负罪感和自卑感这两种心态，一旦我们有了这两种心态，那么我们就不可能喜欢、尊重自己，当然我们也讨厌别人拥有这两种心态。我们要做的是忘记过去，重新开始。

　　在试着喜欢自己的过程中，首先我们必须先接受自己的缺点。当然这不代表我们对自己放松要求、放任自己懒惰或不尽力而为。这个世界上没有完美的人，没有人可以做任何事都能做得最好。强求别人完美的确有失公允，苛求自己完美就更是自我本位主义了。

　　我几年前参加一个组织，就遇到这样一位堪称完美主义的女士，她所做的每一件事都分毫不差。然而，别人却并不认为她的工作是成功的：一份简短的报告她需要字斟句酌几个小时；发表演讲时，她不顾听众劳累没完没了地展开话题；她从不欢迎不速之客；举办宴会时，她事无巨细都一定要事先准备妥当。总之，无论什么事她都绞尽脑汁，力求把它做得完美，不惜付出任何代价。其实这种完美真的是无聊透顶。

　　苛求自己追求完美是一种无情的自负：他们不能容忍自己只是和别人一样，他们力求比别人好，力求受众人瞩目。他们不是尽自己最大的才能和努力去做好每一件事，而只是把注意力放在怎样超越别人，怎样达到完美上。

　　任何人都会遭遇失败，完美主义者也不例外，只是他们无法容忍自己失败，他们努力要去超越失败，而最终却只是更痛恨自己。不要太苛求自己，时不时停下来自我嘲笑一番，这样的话你就会越来越喜欢自己。

不盲从，遵从自己内心的选择

　　伟大的不服从主义者拉尔夫·华多·艾默生曾经说过："如果要做人，就要做一个永远不服从主义者。这样的话你最终能得到心灵的完整，除此之外什么都不再神圣……我所犯的无数错误都是因为我从别人的视点来看待事物，而放弃了自己的立场。"这句话肯定会给那些"从别人的视点看待事物"的人很大的震撼。

　　我们不妨试着把艾默生的话延伸思考，我们可以从别人的视点看待事物，但必须要从自己的视点出发来行事。成熟的好处在于它能发掘我们的信念、激发出我们依据信念行事的勇气。

　　那些年轻而没有什么经验的人怕与众不同……他们害怕自己的衣着、言行或思想与自己所属的群体不相融。青少年是受这些问题困扰最大的群体。"莎莉的母亲强迫她擦掉口红。""我们这个年龄段的女孩子都会出去跟男孩子约会。""天哪！你们想把我变成怪物吗？谁会在11点以前回家？"

　　小孩子比成年人更容易活在自己的群体中，他最看重的一个社交现象就是身边的同学或朋友对他的看法以及对他的接受程度，而构成子女青春期的最大障碍就是这个群体的标准与父母希望他们遵守的标准之间有着很大差距。对于父母和孩子来说，这同样是非常棘手的问题。

如若我们身处一个不熟悉的环境，而且没有什么经验可供参考的话，最明智的办法就是遵循被大家广泛认可的标准，然后耐心等待我们的信念和标准能够产生经验和信心到来的那一刻。而最愚蠢的办法则是，在不清楚自己反叛什么和为什么反叛之前就已经开始反叛了。

终于有一天，我们会形成自己的价值观念。比如说小时候，大人教导我们要诚实，长大后通过自身的体会我们会意识到诚实确实对我们大有裨益。值得幸庆的是我们大多数人在生活中都遵守那些主要的基本原则，如果不是这样的话，我们就会一直生活在无政府状态下。

然而，一些不盲目追随一般思想的人也可能会成为推动文明前进的动力，他们敢于挑战最基本的原则。比如说当初奴隶制度在没有被一些激进分子主张废除之前，一直被人们理所当然地认为是适当的，那些可怜的童工、悲惨的酷刑等不合理的现象也被众人愚蠢地接受。正是那些意志坚定、不盲从的少数人的努力争取，才最终废除了奴隶制度。

当然，不盲从一般人的思想常常会带给人不愉快，甚至会带来风险。这就是大多数人宁愿随大流，对大众所接受的从不怀疑也不争辩的原因。然而这种安全感却是自欺欺人的，最容易受伤的人正是那些受到惊吓四处逃窜的人。

人如果只是一味地顺从和趋利避害，就会变成奴隶；真正获得自由的人是那些勇于面对生活的挑战，勇于参与任何决议的辩论，努力为生活而奋斗的人。著名的战地记者和作家艾德格·莫瑞说过："世界上任何男女都不能通过隐忍的美德，比如调整适应、未雨绸缪、知足常乐等来达到正直诚实的理想状态……他们必须忍辱负重才能达到卓越和幸福的极致，任何一个完美的人都和我们的祖祖辈辈一样，都是先历经重重磨难，才茁壮成长壮大的。"

一个成熟的人不需要求助于顺从——惊惶失措的护身符，不需要任自己的个性消失在群体中，不需要盲目、不假思索地接受别人的思想。真正的成熟就是不因为害怕而顺从大局，在群体中仍保持我们的个性，不盲目、无主见地接受别人的思想。

不胆怯，自信是最好的敲门砖

不管你的推销水平怎样，事实上，每天你都在推销。工作中当然充满了推销，我们的私人生活中当然也有大量的推销存在。几乎所有人都希望自己是越受欢迎越好。谁都想有一份理想而轻松的工作，想有美女投怀送抱，想让食品店多给自己精瘦肉。所以，生活中充满了推销。

也许你并不奢望靠炒股发家，但至少你会想涨工资吧，涨工资也需要推销啊。所以，无论如何，你都要提高自己的推销水平。要提高，就得学习，了解一下推销时应该注意的知识。

无论推销什么，首先要做的就是全面了解你推销的东西。比方说你要推销手套，你就要知道手套是怎样生产出来的，是用什么生产的，手套适用的场合及与款式的搭配，各种款式的手套都有什么特点，诸如此类的知识。

你是什么样的人，擅长什么，有哪些优点，缺点是什么，你在别人眼里形象如何，你想得到什么，等等。这样的问题你一定要如实认真地回答，这些是你推销自我的基础。无论是正式的工作场合，还是私人生活中，你首先必须做到的就是认清自我，对自己有个准确的评价。

心理医生潘尼洛普·罗西诺夫说："我们首先要推销的，就是我们自己。我们必须对自己有信心，表现出很内行的样子，我们坐在那儿必须显得很自信。"因为，我们的行为往往反映出我们内心。要是很自信的话，才会安稳地坐在椅子上而不是坐在椅子边上；要是我们很自信的话，就不会弯腰缩脖。

自我推销需要建立很强的可信度，你必须要勇敢地直视对方的眼睛，让他觉得你非常可信。可能你妈妈这样说过你："亮出你真正的样子。"小时候这话可能很管用，但是进入工作领域，你真正的样子就不会受欢迎。派特·华格纳说过："本来的我可能是令人生厌的，只适用于亲朋好友之间，不适用于跟一般人交往。"

完好的推销自我，还要了解对方，这有利于作出理智判断。首先要看看他是谁，然后了解下他对你的看法。只有搞清楚了这些，才能灵活应付，甚至化不利条件为有利。

1960年美国总统大选时，约翰·肯尼迪各方面条件明显不如理查·尼克松。肯尼迪当时年纪轻轻，没什么名气，除了有钱，就是拥有一口方言。可是在观众眼里，肯尼迪是个心平气和的人，他流利的语言、新鲜的面孔、轻松的态度都让人喜欢。旁边的尼克松则状况比较糟糕，显得很紧张，甚至疲惫得有些老态。尤其是他的黑眼圈，更让人觉得糟糕。这种形象对比改变了很多选民的看法，自然选票也跟着变化了。

不自私，分享才是最大的愉悦

—— 快乐因分享而增加，而不是减少

萧伯纳曾经说过："假如你有一个苹果，我有一个苹果，彼此交换后，我们每人都只还有一个苹果。但是，如果你有一种思想，我有一种思想，那么彼此交换以后，我们每个人都有两种思想。甚至，两种思想发生碰撞，还可以产生出两种思想之外的其他思想。"任何一个人，他所掌握的知识、技能，他的直接的经验都是有限的。人要想适应无穷无尽不断变化的外部世界，就必须凭借与人分享来获得别人的宝贵经验，分享使他们无论在思想观念上，还是在情感上都变得无限。

说话宽容一点，就能避免伤害

几年前通用电器公司发生了一件让人头疼的事，那就是免去查尔斯·史坦恩梅兹部门主管的职务。这位电器方面的天才，却处理不好计算部门之间的事。由于他的敏感，同事们都怕得罪他，况且很多时候公司还离不开他。于是，公司给了他一个新头衔，即"通用电器公司顾问工程师"，他原来的职位给别人担任。

史坦恩梅兹很愉快地就接受了，他没有被罢免的感觉，也没有丢面子。对此，公司也很受用，终于做了公司想做的事而又没惹恼史坦恩梅兹，事情就这样平稳地过去了。问题得以痛快解决的关键，就是给史坦恩梅兹留了面子。给别人留面子是很重要的事情，我们却通常疏忽了它。好多时候，我们经常一意孤行，不在意别人的感觉，甚至经常当着大家的面批评、指责别人，没有想过他的自尊心是否受到伤害。很多人却不知道，说话宽容一点，体谅一些，就能避免伤害到他人。

在你辞退员工的时候，尤其要注意这点。我这里给大家看一看会计师马歇尔·克拉克写给我的一封信的内容摘要：无论是开除还是被开除，都不是一件容易的事。但是，我们的工作都有淡季和旺季之分，所以每年三月，不得不辞退一部分员工。

通常，裁员总是直截了当地进行。比如说："史密斯先生你请坐。这个季度的活做完了，我们现在没有多余的事情给你做了。你也明白，过去一段日子太忙，所以你才被留下来的。"

这样的措辞会让被辞退者很不舒服，感觉自己被一脚踢开一样。他们很多人大半辈子都在做会计，公司这样待他们，他们当然不会感激。

最近我觉得，辞退那些员工，可以试试温和的方法。我先了解这些预备辞退者在公司里的表现，然后把他们分别叫到我的办公室，这样说："史密斯先生你请坐。你在工作上表现得很好，尤其是上次到纽华克出差，当时有那么大的困难你依然完满地完成了任务。这一点，公司为你感到骄傲。你有这么出色的业务能力，相信无论到哪里你都会很棒的，公司对你的信心和祝福希望你能牢记在心。"

这样他们心里就好受多了，没有被人踢走的感觉。我所做的这些，让他们觉得，不是公司辞掉他，而是公司确实没有他们可做的活了。所以万一下次我们再找他们的时候，他们仍会欣然回来的。

批评和指责并不能达到我们所要的效果

约翰·华纳梅克曾经说："在30年前，我就已经明白，批评别人是愚蠢的行为。我并不埋怨上帝对智慧的分配不均，因为要克服自己的缺陷已经是非常困难的事了。"

华纳梅克早就领悟到了这一点，但是我在这个冷漠的世界中探索了三十多年，才有所醒悟：一个人，不论他做错了什么事，100次中有99次不会自责，不论他犯的错误是何等的严重。

著名的心理学家史金勒曾经通过一系列动物实验证明：因好的行为受到奖赏的动物，学习速度更快，记忆的持续力也更久；因坏的行为而受到处罚的动物，则不论速度或持续力都比较差。之后的研究结果显示，这个原则对人同样有效。批评不但于事无补，反而招致愤恨。

另一位伟大的心理学家希勒也说："更多的证据显示，我们总是希望得到别人的赞扬，同样我们也都害怕受人指责。"

批评毫无作用，它使人采取守势，并常常为自己的错误竭力辩护。批评充满危险，它常常伤害一个人宝贵的自尊，伤害一个人的自重感，并激起他的反抗。批评所带来的羞愤，常常使雇员、亲人和朋友的情绪大为低落，并且对应该矫正的错误，没有一丝一毫的好处。批评对于事情并没有任何改善的例子，在历史上司空见惯。

俄克拉荷马州的乔治·约翰逊是一家建筑公司的安全检查员，主要职责之一就是检查工地上的工人施工时是否戴上安全帽。他的报告表明，每当发现工人在工作时不戴安全帽，他便利用职务权威要求工人改正。其结果是：受指正的工人常常显得很不高兴，等他一离开，往往又把帽子拿掉，而且总是记不住。

后来约翰逊决定改变一种提醒的方式。当他再看见一工人不戴安全帽时，便问他们是不是帽子戴起来不舒服，或者帽子尺寸不合适，并且用和蔼的口气提醒工人戴安全帽的重要性，然后要求他们在工作的时候最好戴上。这样做的效果果然好了很多，也很少有工人显得不高兴了。

这样的例子真是举不胜举。现在就让我们再看一个：

西奥多·罗斯福和塔夫脱总统之间有段广为人知的争论——一场导致共和党分裂的争论，直接导致伍德洛·威尔逊入主白宫，并在第一次世界大战中写下了辉煌的一页。

1908年，罗斯福走出白宫，到非洲去猎狮子，同为共和党人的塔夫脱当选为总统。当罗斯福回到美国后，看到塔夫脱的保守作风，不禁暴跳如雷。罗斯福开始公然抨击塔夫脱，还准备再度出来竞选总统，并打算另组

"进步党"。这几乎导致共和党的瓦解。果然，在接下来的选举中，共和党只赢得了两个区的选票——弗蒙特州和犹他州，这是共和党有史以来最大、最空前的惨败。

面对罗斯福的指责，塔夫脱是否承认自己有错误呢？当然没有，他眼含着泪水为自己辩解道："我不知道所做的一切有什么不对。"

下面让我们再重温另一个重要的事件，这个事件让整个国家都为之震惊，公众舆论也为此批评了许多年。在这代人的记忆中，美国政坛上还没有出现过这类丑闻。这个事件就是油田舞弊案。

哈丁总统的内政部长阿尔伯特·弗尔，当时是政府在阿尔克山丘和茶壶盖地区油田负责出租事宜的主管，这些油田是政府未来海军用油的保留地。但弗尔没有公开招标，而是干脆地把这份优厚的合同给了杜梅克，他的朋友。相应的，他得到了杜梅克"借"给他的10万美元"贷款"。然后，弗尔部长为了避免周围的油井吸干阿尔克山丘的原油，又令美国海军进入该区，赶走了那些有意投标的竞争者。由于这些竞争者是被强行赶走的，不甘心的他们走上法庭，揭发了著名的茶壶盖油田舞弊案。这桩丑闻轰动全美，几乎毁了哈丁总统的政府，也导致共和党几乎垮台，弗尔部长本人则锒铛入狱。

弗尔部长受到公众广泛的谴责，终其一生，此景从未有过。那么，他后悔过吗？没有！一点儿都没有！甚至他身边的人们都没有表示过后悔。多年以后，胡佛总统在一次公开演讲中说，哈丁总统是由于被朋友出卖，神经受到过度刺激而忧虑至死的。当时，弗尔部长的夫人从椅子上跳了起来，失声痛哭，攥紧拳头大声嚷道："哈丁是被弗尔出卖的吗？不，我的丈夫从来没有辜负过任何人。我的丈夫不会背叛任何人，即使整座房间都堆满了黄金。他被钉上十字架，充当了牺牲品，是别人出卖了他。"

或许现在你会明白，做错了事之后只知道责怪别人，而不会责备自己，就是人类的天性！其实我们人人如此。因此，当我们以后想要批评别人的时候，就不要忘了这些人——阿尔卡普、"双枪手"科洛雷和弗尔。

记住，批评就好比驯熟的鸽子，它们到时候总是要回家的。而且，我们想要纠正和指责的人总是会自我辩护，并反过来指责我们；温和一些的或许会像塔夫脱总统那样，说："我不知道我该怎样做才能有别于我以前所做的。"

付出和接受成熟的爱

爱是世界上人们谈论最多，也是最难弄明白的课题之一。艺术家可以通过爱来激发创作灵感，爱也被认为是婚姻幸福和家庭美满的基础。失去或缺乏爱，会导致人格破碎或影响人格的正常发展。

我们大多数人对爱的理解都是狭隘的、偏激的，而且都局限于家庭或性关系的角度，同时还常把这种情感与占有、自负、姑息、依赖等混为一谈。

直到最近，爱才被人们定性为一个严肃的科学课题。如今，情况发生了转变。许多心理学家、医生和科学家开始投入大量的时间、精力来研究和思考"爱"的问题，把爱看作是人类的基本需求和从未探索过的影响人类事务的力量源泉。因此，我们发现对于爱的一些传统观念必须要修正和扩充了。

爱跟成熟到底有什么关系？让我们来看看罗洛·梅伊博士在最近的新书《人的自我追寻》中发表的意见："衡量一个人是否具有完全人格的标准就是看他是否能够付出和接受成熟的爱。"

梅伊博士还认为一般人对爱的理解很幼稚和暧昧，所以大多数人还达不到这个标准。

　　如果一个女人把自己的一生都献给了丈夫和子女，几乎与世上的一切完全隔绝，并不能说这个女人伟大，只能说她的占有欲强于她的爱。她不明白，爱的真谛不是局限，而是延伸。如果一个男人崇拜一个女人到再也找不出另一个女人能与她相提并论的程度，也不表明这个男人就是个"有爱心的"男性典范。这只说明他的感情发展受到了限制，以至于强迫自己停留在婴儿时期的依赖状态。他不知道依赖不是爱。

　　如果我们先搞清楚什么不是爱，那么对于理解那种促使人格趋于完善的成熟或许会相对容易些。

　　首先，爱并不等同于电影中玫瑰加香槟式的浪漫故事，也不等同于作家笔下关于性剥削的激情。要知道爱不只是年轻貌美者的专利。

　　泌尿科专家、美国婚姻顾问协会主席亚伯拉罕·斯通博士是这样指导我们的，我们所谓的"我爱"的真实含义通常是"我要"、"我渴望拥有"、"我从……获得满足"、"我利用"，甚至"我深感罪恶"。这些被科学家们称为"假爱"。

　　很多家长把"爱"作为放纵孩子的借口。而事实上，他们只是在溺爱孩子，这对孩子的成长根本不利。纽约杜布斯波克的儿童村，近年来一直致力于重新训练需要指导的问题儿童。机构的理事哈洛德·史泰龙说："每天我们都要处理一些父母们因混淆'爱'与'姑息'而造成的伤害事件。"

　　成熟的爱就如同耶稣所说的"爱邻如爱己"的观念，也是柏拉图在《对话录》中对爱的诠释，从对一个人的关系开始，扩展到全人类和全宇宙。爱的要素不管是在夫妻之间，还是父母与孩子之间，或是个人与全人类之间，都是不变的。

　　人类之间的真爱对人的成长非但没有阻碍，而且它还肯定人在其他方面的人格，促进人类的成长发展。

　　有很多父母时常因为女儿想要嫁到某个遥远的地方而对女儿的婚姻产生抱怨。有一个母亲曾这样悲哀地说道："简为什么非要找一个那么远的男人结婚，你说她要是找个本地的该多好啊，这样的我们也能经常见到她了，唉！我们为她奋斗了一辈子，而她却这样答谢我们，非把自己嫁到千里之外的地方！"如果你对这个母亲说她这样做不是真正爱自己的女儿，她一定会惊讶不已的。她不知道，她把占有和满足自我跟爱搞混了。

爱不是占有，而是给予他自由

爱的真谛不是紧紧抓住自己所爱的人不放，而是给他自由任他飞。成熟的人是不会占有任何人的感情的，他会让自己所爱的人自由，就如同让自己自由一般。和其他的创造性力量一样，爱存在于自由之中。

作家普瑞西拉·罗伯逊在《竖琴家》杂志上曾这样给爱下定义："爱，就是给你所爱的人他所需要的东西，为了他的利益而不是你自己的。用心想想别人把你所需要的东西送到你手里时的感受。爱不是所谓的'家长主义'的剥削和专制，爱包含给予孩子他们所需要的独立。爱也包含各种性关系，但并不是对自负或青春的狂乱追求的那种性格的利用。我的定义还包含你给予那些曾经让你知道自己是哪种人、你会成为哪种人的少数几个人——老师或朋友的爱；它亦包含善良——对整个人类的关怀，而不是把石头投给一个需要面包的人，或者在他不需要面包而需要理解时却硬塞给他面包。"

生活中总是有很多自作聪明的"善心"人，他们总是把我们不想要的东西硬塞给我们，而我们想要的东西却死死地抓住不给我们。这些人不应归属于爱心人士的行列，心理学家或许还会得出这样的结论：他们无用的爱心不经意地制造了敌意。

　　"爱是盲目的"是最误导人的一句话。只要擦亮爱的眼睛，我们就能认清楚身边的每一个人。我们内心深处都存在着两个自我：一个是随意或者冷漠的自我，一个则是因害怕伤害或误解而变得敏感、封闭的自我。我们采用沉默、害羞、进取、坚强等各种姿态对它进行伪装、保护，其实内心深处却渴望有人帮助我们挖掘出真正的自我。爱具有特殊的洞察力，它能透视人心，它可以回答你"我为什么爱他"这个永恒的问题。

　　想要学会爱，我们就应该持这样的态度。比如，关怀我们所爱之人的成长和发展，对他们个性化的存在加以肯定或鼓励，尊重他们的原本姿态，为他们创造自由和温情的氛围……爱为他人提供了成长的土壤、环境和营养。

　　人们常把嫉妒和爱混在一起。实际上嫉妒只是我们占有、驾驭他人的一种欲望，是我们缺乏激发自己情爱能力的结果然而嫉妒也能克服，用付出来取代这种欲望。

　　现在让我们看一看下面这个女人是怎样克服嫉妒、怎样学会去爱别人的。

　　"10年前，我害怕丈夫会离我而去一我总是陷在嫉妒中不能自拔，"她说，"虽然他并没有让我嫉妒的任何理由，也正是因为这样，我才更更痛苦。我怀疑、恐惧，而且还很神经质，我经常偷偷地翻丈夫衣服的口袋，检查他汽车里的琐碎东西，还时常在夜晚整夜哭泣，白天则又会起一些新的猜测。"

　　"有一天，在照镜子的时候，我看见了一个让人讨厌的自己，头发乱糟糟的，脸上满是忧虑和憔悴，服装更是可笑不堪！当时我吓呆了，我不禁问自己：'海伦，看看你现在的模样，你害怕丈夫抛弃你，可是这能怪他吗？你必须改善你自己了！'于是就在那一刻，我下定了决心，并制定了如何改变自己的计划，以后的日子里，我适当减少了自己做家务的时间，而把时间用在对自己的仪容、仪表的打理上。而且我还注重休息，并适当增加自己的体重。为了学会对化妆品的使用，我还特意找了一份推销化妆品的工作。在我改变自己的外表的同时，我的感觉也逐渐好起来，态度也慢慢发生了转变。对我的变化，丈夫也表现出很大的惊喜，并作出相应的反应来打消我的疑虑。就这样我利用原来花在嫉妒上的精力和时间来提升自己，使自己成为丈夫心目中满意的妻子"。

这个女人获得了爱的能力，她知道了爱不是强迫，而是需要肯定。如果我们的内心充盈着占有、嫉妒和支配这些因素时，那么我们对他人真实的爱就会消失。如若我们任荒草蔓延而不及时对它清理，即便是最美丽的花园，也一样会荒芜。

精进我们爱的能力

家庭关系的一个悲剧，就是我们总是不经意地用爱为借口造成对他人的伤害。父母对孩子的苛求总是说"为了孩子好"，宠溺孩子的父母则说他们做什么都是以孩子的"幸福"为前提。

俄亥俄州哥伦布的艾伦太太，就这方面就给我们讲了这样一个故事。数年前，与丈夫离异的艾伦太太不得不担起独自照顾自己和两个孩子的责任。当时这种责任把她压得喘不过来气，而且她还认为要培养好孩子，就必须对他们严格管教。

艾伦太太说："我当时就定下规矩，规定他们什么时候做什么事，而且我从不听他们解释，也不与他们商量任何问题，更不听他们的意见。对我定下的这些规矩，他们必须服从。

"慢慢地我发现我们的家庭关系开始发生了变化。孩子们总是想法设法地躲避我，甚至躲避我对他们表示出的爱。我知道他们这是怕我这个母亲！

"于是，我不由得坐下来反省自己，我惊讶地发现我这么做并不是为孩子们着想，我只是把自己因离婚产生的压抑情绪发泄到孩子们身上，不经意地让孩子承担了我个人过错造成的苦难。

"意识到这一点之后，我就想尽快解除孩子们身上的这种无形的压力。于是，我努力地尝试从新的角度来看待孩子。首先，我不再把他们当作是责任或是负担，我把他们作为人看待。我减少一些做家务的时间，挤时间与孩子们相处，和他们一起玩游戏或去有趣的地方。慢慢地我学会了怎样指导他们，而不只是简单地下命令。

"我放松心情，就这样，爱、温情和快乐又回到了我和孩子们的身边。我们的关系逐渐恢复，并且在不断地增强。在这样的氛围中，任何问题都变得好处理多了。"

艾伦太太学到的不仅是爱，还有怎样用爱去治疗家庭生活的创伤。

爱的能力既决定着我们与家人的亲密关系的程度，也决定了我们与他人的关系。我们对家庭所付出和接受的爱决定着我们对朋友、工作、家乡以及世界的态度。

"如果一个孩子能接受爱的教育，那么他就能从爱自己和爱他的亲人，发展到敞开心胸真诚地去爱所有的人。"心理学家米尔顿·格林布拉特曾这样说道。

《人类发展的方向》的作者亚希莱。孟德斯博士曾说过，几乎所有的宗教都认为，生活和爱是同一个概念。现在看来很明显，爱，是人类能够依赖的，指引他们未来发展方向的主要原则。

把爱只留给家人或亲近朋友的观念是不正确的。我们应该敞开心扉去爱别人，因为我们越是爱别人，我们就越容易获得爱的能力。爱充盈在我们整个人格之中，爱是给一切活动散布光辉的重大能源。有爱心的人健康、长寿，他们对工作、生命和同胞总是充满热情。

爱别人就会得到别人爱的反馈

我曾收到纽约市的罗瑞的来信，他给我讲述了一些有趣的人和事。

"我不会忘记那个上午，在11点左右，我的公司在我没有丝毫心理准备的情况下被两个生意人用所谓的法律手段夺走了，当时我整个人都惊呆了。在咨询过律师后，我也只好认命了。我害怕极了，要知道我失去了我所拥有的一切。那天下午2点钟左右，我到工厂把此事告知了生产部经理露易斯，又和我的其他员工们一一告别。这些人大部分都是从工厂一开业就跟我一起做事的。

"然而，在新老板来接手工厂时，意想不到的事情却发生了。公司的每一名员工都收拾东西辞职了，尽管新老板向他们承诺，只要他们能留下来，就满足他们提的条件。他还特意找到露易斯说，只要她愿意回去，就会给她一份终身职务。可是她却回应道：'我并不是非要靠你们这种人才能生活。'新老板急疯了，他们虽然有着大量的库存和机器，却不懂生产技术，也找不到肯为他们工作的员工。

"员工们辞职后就去申请失业救济金，但是新老板在接到核实电话却说：'他们这些人在我这里有工作可以做，叫他们回来上班。'可员工们并没有接受，尽管他们没有领到救济金。当然我根本没法为他们做些什么，我自己已经是分文没有了。

"一连五个星期，事情都没有任何转变。我真的为员工们的生活担忧，要知道他们没有任何积蓄，平日里都是一拿到工资就转手花掉了。在第六个星期，新老板投降了，虽然他们得到了我的公司，但却只是个躯壳，根本无法开工。于是就在那天下午4点，公司又奇迹般地回到我的手中了。更让我欣慰的是，第二天一早，所有的员工都回来上班了。

"在我失去公司的那一刻，最糟的事情的确是发生了。对此我无能为力，剩下的只是员工和我之间真诚的尊重和理解。在危难关头，他们推心置腹、忠心对我，迫使新老板不得不把公司还给我。我永远感激我的员工，我拥有这么多世界上最可爱的朋友！"

多么让人感动的故事啊！那些成熟的人总是在不断地发现我们人类的可爱之处。而那些不成熟的人，则终日在说，搞政治的全是骗子、大公司都没有人情味、当老板的都是奸商……

西弗吉尼亚州的达尔·帕里1944年在海上的一艘自由轮船上也学到了生动的一课，而这一课也是我们学习的典范。

那时，帕里先生还只是个航海学校的学生，他在船上是职位最低的人——只是个甲板实习水手。船上任何人都可以向他发号施令，而他对这些号令也必须服从。因为不论是谁对他提出了不利的报告，那么他都得返回部队里去。

帕里先生说："船长根本对实习制度不看在眼里，对商业航海学院里的所有人和事都不以为然。因此，我在他手下，没有过上什么好日子。

"在与这些我认为冷酷无情的人共处了四个星期后，我觉得我必须得想个好的办法。因为当时我的功课落下了，我每天本应该花六个小时学习的。所以我决定要和船长当面谈谈。于是，我拿了一本书在一天晚上，小心翼翼地敲响了他的门。

"他没好气地问'谁'。

"我怯生生地回答道'我是帕里，船长，我'。

"他生气地问'你究竟要干什么'。

"我说'船长，要是您能帮我解释一下这个我感觉棘手的问题，我将不胜感激。我相信，凭您这么多年的出海经验，一定遇到了不少次这种问题，知道怎么应付它'。

"'那可不是，'船长说，'我来看看。'

"当我走出船长室时，我得到了他的允许：每天可以有4小时的时间钻研功课，两小时在甲板上服务，4小时执勤。一下子，我发现船长成了一个善解人意的大好人。"

只要我们把迷雾驱散开来，用心去观察，我们就会发现周围的同胞是那么善良、仁慈、慷慨。

在1955年夏天，康涅狄格州梅德河洪水泛滥，如若不是依靠勇气和邻里之间的相互鼓励，没有一个人能幸免于难！在死神与灾难降临的同时，我们总能学到一些关于人生的新知识。我有一位这样的朋友，由于参与镇上的派系之争，把邻里关系搞得势不两立。后来，他出了车祸住进了医院。

那个圣诞之夜，他一个人孤寂地躺在医院的病床上，根本不会料到两个邻居会来探望看。可是他们却来了，还为他送来了一只装满礼物的5英尺长的蓝色圣诞袜。在此，我不多叙述，大家也会知道我的这位朋友一定会改变他对人们的看法了。

好事就是让别人脸上露出笑容的事

好事就是让别人脸上露出笑容的事。为什么每天一件好事就能给人带来这么大的影响？这是因为，当我们努力让别人高兴的时候，自身会有一种忘我的精神，从而沉浸在自我的幻觉中。反之，忧虑和恐慌接踵而来，人就患上了抑郁症。

纽约市秘书学校的威廉·孟恩太太就用了这种方法，她试着让别人高兴，只用一天就治好了她的抑郁症。而她所做的事不过是努力让两个孤儿高兴起来。她说："5年前的12月里，我沉浸在顾影自怜中不能自拔，因为带给我幸福的丈夫突然离开我了。眼看圣诞节就来了，我更加伤感，我还没有一个人过圣诞的经历呢。尽管朋友们都邀请我，但我丝毫没觉得快乐。我觉得，无论出现在哪个宴会上，我都将会是一个令人讨厌的家伙，所以我拒绝了大家善意的邀请，更加顾影自怜。我知道世间还有很多值得我们感动的事，就像其他人认为的那样。圣诞前一天，下午3点，我从办公室走出来，来到熙熙攘攘的第5大街，希望可以忘掉自己的自怜和忧虑。

"街上依旧繁华，大家依然那么开心，这又触动了我的神经，让我想起昔日跟爱人度过的那些快乐的日子。但一想到要回到孤单空寂的家，我就害怕，感到迷茫，闲得发慌，忍不住落泪。我这样闲逛了一个小时左右，不知不觉到了公共汽车站前。我想起以前，我经常跟丈夫随意搭上一辆公共汽车，漫无目的地玩。于是我也随意走进一辆靠站的公共汽车。车子过了赫德逊河，又过了其他的地点，我听到司机说'太太，终点站到了'。我下车，这是一个不知名的小镇，很安静，我走在居民区的一条街道上，旁边有一座教堂，里面传来《平安夜》的乐曲声。我走进去，除了一个拉风琴的人，整个教堂里空空荡荡的。静静坐在一张椅子上，我看着圣诞树上耀眼的灯光，听着悠扬的乐曲声，恍若繁星舞蹈在月光下。我一早起来就没吃东西，这会儿有些眩晕了，觉得自己虚弱异常，昏昏沉沉就睡过去了。醒来不知身在何处，我有些害怕。

"朦胧中我发现两个孩子站在我面前，他们可能是来看圣诞树的。小女孩指着我说'不知是不是圣诞老人把她带过来看圣诞树的'。我突然的醒来也吓了他们一跳。看两个小孩寒酸的穿着，我轻轻问他们父母在哪儿，这才得知，他们是一对失去父母的孤儿，比我曾经见过的所有孤儿境况都要差。这让我对自己的自怜感到惭愧。我带他们看圣诞树，带他们到一家饮食店吃点心，还送他们一些糖果和礼物。做这些事情的时候，我孤寂和忧伤的情绪奇迹般地消失了。他们给我带来了好久不曾有过的快乐和忘我。在跟他们聊天的时候，我才发现，一直以来自己是这么幸运。感谢上帝，我童年时代的圣诞节要欢乐得多，到处都是父母的关爱。这两个孤儿带给我的要远远大于我给他们的。

"这次经历告诉我，只有让别人快乐了，我们自己才能快乐。我还发现，你在施与的时候，同样也是在接受。帮助别人，付出我们的爱，才能消除忧虑、忧伤和自怜，呈现出一个崭新的我。不仅当时是这样的情况，至今仍是。"

别人微笑我们也会感到幸福

纽约心理治疗中心的负责人亨利·林克认为："在我看来，现代心理学最重大的发现，就是用科学证明了这样一个道理，人必须牺牲自我和约束自我，才能获得自我意识和快乐。"

凡事多想想别人，不仅能消除你的烦恼，而且能交到很多朋友，为人生获得更多的乐趣。怎样才能做到这一点？我曾咨询过耶鲁大学的威廉·李昂·费尔浦教授，他这样回答我的：

"无论住旅馆、理发，还是去购物，我碰到人，总喜欢说一些让他们高兴的话。自始至终，我都将他们当成一个人而不是一个机器里的零件。我赞美商店接待小姐漂亮的眼睛、美丽的头发；我关心正在为我理发的师傅整天站着累不累；我问他怎样进入理发这个行业的，做了多久，有没有统计过为多少客人理过发。我发现，当我对别人表示出兴趣的时候，他们都会高兴起来。我与那个帮我搬行李的红帽子服务生握手时，他就显得很

开心，看起来很有精神的样子。

　　"一个炎热的夏天，我到纽海文铁路上的餐车用餐。车内拥挤不堪，跟个疯人院一样，到处是乱糟糟的人。服务速度也跟不上，我等了好久，服务生才送来菜单。我边点菜边说'后面的厨房肯定更热更闷，厨师们今天肯定很累'。那个服务生突然叫起来了，充满了怨恨，开始我还以为他生气了呢。他嚷嚷道'上帝啊！谁都抱怨我们的东西难吃，骂我们服务得慢，嫌这里的环境闷热、饭菜贵，这样的抱怨我已经听了19年了。你是第一个顾客，也是至今唯一一个对在闷热厨房里干活的师傅表示同情的人，我真要乞求上苍多赏赐一些你这样的客人'。

　　"之所以服务生有这么大的反应，是因为我也把后面厨师当成正常的人看，而不是看成铁路大机构里面的小螺丝。"

　　每当我看见街头漂亮的小狗，我总抽出时间夸一夸它，再走几步回过头时，我会发现它的主人正拍着它的头表示欣赏，是我的赞美让他更欣赏自己的狗了。

　　我在英国遇见一个牧羊人，看到他那只又大又聪明的牧羊犬，我给予了真诚地赞美，并虚心请教他，你是怎样训练出这么好的牧羊犬的。离开后我再回头，我发现那只牧羊犬正前脚立起搭在牧羊人的肩膀上，而主人正充满爱意地抚摸它。我只是对牧羊人和他的牧羊犬表示出一点点兴趣，就让他这么快乐，那只牧羊犬也这么开心，我自己的心情也变得愉悦起来。

　　这些简单的事：同一个红帽子服务生握手；对在闷热厨房里的厨师表示同情；告诉别人他的狗狗很可爱。有这些行为的人，怎么会再怨恨他人又让自己忧虑呢，怎么还会需要心理医生的治疗呢？不可能！中国有句俗语说得好："予人玫瑰，手有余香。"

善待他人就是善待自己

　　玛格丽特·泰勒·叶慈是最受美国海军欢迎的一位女人，她也是个作家，但她神秘的小说没有一本比她自己经历的事情有趣。

　　故事发生在日本偷袭珍珠港美军舰队的当天早上。当时叶慈太太因心脏病已经躺在床上一年多了，她不得不每天至少花22个小时躺在那里，下床走路也不过是到花园里晒晒太阳，而且还得有人搀着。叶慈太太简直觉得自己是个废人，她曾告诉我："若非日本人轰炸珍珠港，把我从自怜的状态中驱赶出来，我可能一辈子都体会不到真正的快乐。

　　"轰炸开始后，一切都混乱起来。其中一颗炸弹就落在我家附近，把我从床上震了下来。基地附近就有军方的卡车，陆军、海军的眷属都被卡车转移到公立学校里，然后再打电话请那些有空余房间的人收容他们。红十字会知道，我床边就有一部电话，于是要我替他们记录所有的资料。我这样做了，把所有的陆军、海军的眷属以及孩子们送往的地方都记录下来。同时，红十字会通知所有的海军和陆军人员打电话，询问自己的家人分别被安顿到什么地方。

　　"很快，我就知道我丈夫罗伯·叶慈上校安然无恙。我就努力让那些不知丈夫生死的女人都高兴起来，试着安慰那些已经成为寡妇的女人。伤亡人数不断在增加，海军陆战队有2117名军人阵亡，失踪了960人。

　　"开始我一直躺在床上接电话，慢慢我就坐起来接听。由于忙碌，我完全不记得自己的身体还很虚弱，不知不觉下床走到桌子旁。在帮助别人的时候，我忘记了自己。从此，除了正常的睡眠，我再也不躺在床上了。

有时候我想，要是没有日本人轰炸珍珠港，可能我一辈子都要做个半残疾人，整天舒服地躺在床上享受别人的照顾，让痊愈的机会变相地从我身边溜走。

"对美国历史而言，珍珠港事件是一次空前的悲剧；但对我个人而言，这却是我碰到的最好的一件事。是危机给了我力量，这种力量是我自己先前没有意识到的，它不但让我关注自己，而且更多地关注别人。它为我的生活重新确立了目标，使我成为一个崭新的我。我不再整天想着自己，为自己的状况忧虑。"

需要看心理医生的人们！只要你按照玛格丽特·泰勒·叶慈的方法去做，有三分之一的人都能自我治愈，只要你们愿意！不仅我是这么认为的，著名心理学家荣格也是这样想的，他可是这一领域的权威。他说："在我的病人中，约有三分之一并不是真的病了，而是因为他们生活得无聊、空虚。"他们不得不找心理医生看病，诉说自己那些鸡毛蒜皮小事及他们毫无价值的生活。他们赶不上船，却站在码头上责怪，自己不自知，却要求世界都要以他为中心。

可能你会说："这没什么大不了的，我也曾在圣诞夜招待过两个孤儿，要是我恰好也经历了珍珠港事件的话，我也会勇敢地做玛格丽特·泰勒·叶慈所做的事。可我与他们不一样，我的生活太不刺激了，工作也这么无聊，从来没有什么戏剧性的事情发生。我怎么会对帮助他人感兴趣呢？我为什么要帮助这些平常人呢？对我有什么好处吗？"

让我回答你一连串的提问。不管生活多么平凡，实际上你几乎每天都会碰到人，你是怎样对他们的呢？你是仅仅看对方一眼，还是努力了解他们的生活呢？比如说你看见一个邮差，为了送一封信，他每天都走几百里路，你有没有试着问过他住哪里，或者欣赏欣赏他太太和孩子的照片？你有没有问问他的脚是否酸痛？有没有问问他烦不烦自己的工作？那些杂货店送货的孩子、卖报者、蹲在街角为你擦鞋的人，这些人也许都有自己的烦恼、梦想，他们也渴望有人来分享他的快乐和忧愁，你有没有给他们机会呢？对于他们的生活，你有没有流露出感兴趣的样子？这就是我的回答：要改变世界，不一定要成为南丁格尔或一名社会革命家，你可以从明天早上开始，从帮助你碰到的那些人开始，以此改变世界。

这样做有什么好处吗？它让你得到心灵的满足，让你内心得到快乐，让你洋溢着惬意的舒适。这种人生态度被亚里士多德称为"有益于人的自私"。古代波斯拜火教教主佐罗亚斯特说："做好事、助人并不是一种责任，而是一种快乐，它让你变得健康和快乐。"富兰克林的说法更直接："善待他人，就是善待自己。"

考虑对方感受，先赞扬再批评

一般来说，我们先听一下别人的夸奖，再听他对我们的批评时，心里就会好受一些。

柯立芝总统在任时，我的一位朋友受邀到白宫过周末。他来到总统个人办公室时，看见总统正对他的秘书说："你今天衣着不错，这让你看起来年轻、漂亮。"

秘书感到很意外，因为柯立芝总统平时是不怎么说话的，因此，听到他的一番赞扬，这个年轻的姑娘脸都红了，有点不知所措。柯立芝总统又说："你不要太得意忘形了。我夸你是为了让你心里好受些，以后，我希望你好好注意一下自己对标点符号的用法。"

柯立芝这样可能显得太直率了，但他对人类心理的把握还是有可取之处的。一般来说，我们先听一下别人的夸奖，再听他对我们的批评时，心里就会好受一些。给客人刮胡子前，美容师会先把肥皂泡抹在客人脸上。

1896年麦金尼竞选总统时，就采用了类似的办法。

当时，共和党的一位政要为麦金尼写了一篇竞选演说稿。他自认为写得很好，于是就在麦金尼面前大声读起来。实际上，除了有一些观点还凑合，总的来说，这篇演讲稿是比较糟糕的，根本不适合在公众面前念出来。但是，麦金尼又不好打击他的积极性，但是这稿子非改不可。让我们看看麦金尼是怎么说出来的："兄弟，这稿子真的不错，很精彩也很有力，写得比别人都好。一般来说，这篇稿子是非常适合竞选的。但现在情况有些特殊，你确实把观点写得很鲜明，也很有力量，但对于这次竞选来说，它实用吗？我们得从共和党的全体利益来考虑，看它会产生什么样的影响。你现在再回去琢磨琢磨，想想我的建议再写一篇来，弄个样本给我瞧瞧。"

这位政要很爽快地就按麦金尼的话做了，麦金尼又帮他改了改并最终敲定使用这篇稿子。后来，这稿子在麦金尼竞选中发挥了很大的作用。

让我们再读读林肯总统写的一封知名度很高的信，这封信的影响力仅次于林肯在斯比夫人5个儿子都丧生战场时写的那封哀悼信。可能这封信只用了林肯5分钟，但在1962年的公开拍卖中，它却卖了高达1.2万美元，在当时，这可是一个大数目，因为林肯在世时工作了五十多年也没攒够这么多钱。

林肯大约是在1863年4月26日写的这封信，当时正是南北战争最黑暗的时候。18个月以来，北军节节败退，战场伤亡惨重。北方处于一片恐慌的状态，很多士兵都逃回去了，共和党的一些议员也开始有所不满，想把林肯从白宫里赶出去。当时林肯说："我们现在正处在崩溃的边缘，我觉得连上帝都不肯站在我们这一边，我看不到希望。"这封信就是在这样的情况下写成的。

我之所以在这里提到这封信，是因为我想让大家知道，林肯是怎样改变一位不安分的将领的，而这位将领的表现，正关系到国家的命运。

也许，这是林肯任总统期间写得最严厉的一封信，即便如此，我们仍然看到，他还是先赞扬然后才批评这位将领的严重失误。很明显，那位将领的失误非常严重，但林肯没有直接说，而是含蓄又圆滑地指出："有的事，我对你相当不满。"

这就是林肯总统写给胡克上将的信："我已经任命你为波托马克的陆军司令，我有充分的理由作出这个决定。但是，我认为还是要提醒你，有的事，我对你相当不满。你是个勇敢的、有熟练作战技巧的军人，对此我深信不疑，这也是我很欣赏你的地方。而且我还认为，你对政治和军事分得很清，这也是令我高兴的事。你的自信，虽然不是不可缺少的，但至少是一项很可贵的品质。

"有时候，野心勃勃并不是一件坏事。但是我认为，在伯恩斯将军作指挥期间，你的野心表现得不是很恰当。你经常和他对着干，这对于一个联邦和一个功勋卓著的盟军将领来说，都是非常重大的失误。

"我听说，也坚信，最近你说军队和政府急需要一位铁腕人物。我并非因为这个原因任命你，而是我自己不计较，才作出对你的任命。

"铁腕人物只可能是那些建功立业的领导者。我现在需要的就是，取得战场上的最后胜利，为此我愿意承受铁腕的危险。政府将尽一切力量支持你，无论过去还是将来，政府对所有指挥官都会一如既往地支持。我现在担心的就是你以前带到军队中的那些风气，即非议上司和不信任上司。现在，也许你也将同样面临来自下属同样的反应，我会尽我所能帮助你，制止这些行为。

"这种不良的风气充斥于军中时，不管是谁，哪怕是拿破仑，也没有办法指挥军队。所以你要注意，不要草率行事，而是要以旺盛的斗志和废寝忘食的警觉精神指挥军队向前，这会给我们带来最后的胜利。"

我们都不是柯立芝、麦金尼或林肯这样的人物，但至少也清楚一件事，那就是我们也需要这样的处事方法。

找一个动听的理由说服别人

劫车大盗杰西·詹姆斯活动的那一带，就是密苏里乡下，在这里我度过了自己的童年。我还在基尔尼的农场见过詹姆斯，他的儿子住在这里。

杰西·詹姆斯的妻子给我说了一些往事，包括杰西怎样抢劫火车和银行，又怎样把抢来的财物分给附近的农民以便他们偿还银行的债务等之类事迹。

皮尔波特说："每个人做事都有两个原因，其中一个是真正想法，另外一个则是听起来冠冕堂皇一些的理由。"可能当时杰西·詹姆斯想成为英雄，但是谁都知道那个真正原因是什么，这不用我多说。可是每个人也都是有崇高理想的，都希望有一个动听的理由来支持自己做这件事。因此，要想改变别人，就送他这样一个的理由。

也许你要质疑这样做的有效性。让我们看看别人的事迹就知道了。

宾州格连欧登的法里尔米奥尔公司的汉弥尔顿·法里就遇到过这样的情况，这是他在我们的培训班上讲的事情。他的房客对他的房子很不满意，一度威胁着要搬家。合同还没到期，还有4个月，每月的房租是55美元，但现在这个房客扬言要立即搬走。

法里尔说："他已经在我这住了一个冬天，冬天过去后，这里的房子就不好出租了，而且房租还很低。秋天之前再把这房子租出去是很难的。因此可以说，我白白损失了200美元。要是以前，我肯定会极力挽留这个房客，让他履行我们合同上的规定，哪怕现在他要搬家，也要把合同中规定的4个月房租先交了。

　　"这次我却没有这么激动，没有跟以前那样，而是决定尝试一下其他的方法。我这样对他说'我明白先生您的意思，我相信你确定要搬走了。我出租房屋多年了，我知道人们都是怎么想的。刚开始的时候我就认真观察过你了，我觉得你应该是一个诚实守信的人，我非常确定你是一个善良的人，所以我才把自己的房子租给你。我现在只是建议你，把立即搬家这个决定先放一放，好好想想。要是月初房租到期之前你仍打算搬家，我保证会尊重你的决定，大不了说明我对你的判断失误而已'。

　　"下个月月初的时候，这位房客找到我说，他跟他太太商量好了，还是决定在这住下去，所以来向我交房租。也许他们是认为，要想体面，就要履行合同的规定，到合同期满再说。"

　　一次，诺德·诺斯克利夫发现一家报纸刊登了一张自己不想公开的个人照片，于是给编辑写了这样一封信："请不要刊登我这张照片，因为我的母亲不喜欢这张。"没有说："请不要刊登我这张照片，因为我不喜欢这张。"他这就运用人们尊重母亲的心理，使前一个理由听起来比后一个理由动听多了。

　　约翰·洛克菲勒为了制止报社的摄影记者为孩子拍照，也用了一个很动听的理由。他没有说："我不希望我孩子的照片被登上报纸。"而是利用人们保护小孩的心理说："大家都了解小孩子的天性，也许你们自己就有小孩子。你肯定知道，他们这么小就这么出风头并不是一件好事。"

你的微笑价值百万

　　我最近在纽约参加了一个宴会。客人中有一位女士，可能她刚刚获得了大量金钱遗产，又可能是急于给每个人留下良好的印象。她买了名贵的貂皮、钻石、珍珠来装扮自己，不惜花费大量的金钱。但是她的面部表情充满了尖酸刻薄以及自私，很显然，除了衣着装饰，她对自己的面孔却没有下过什么工夫。她并不明白男人们心中所想的——那就是一个女人面部的神情，要远远比她身上所穿的衣服更重要（对了，你最好别忘了这句话，假如下次你的妻子要买皮大衣，这句话也许用得着）。

史考伯说，他的微笑能值100万美元。他大概是在向我暗示，因为史考伯的性格、他的魅力、他那使别人喜欢他的才能，几乎正是他卓越成功的全部原因，这简直是一条真理。而那能够打动所有人的微笑，正是他个性中最可爱的因素。

有一天下午，我和莫里斯·雪弗莱待在一起。坦白说，起初我感到很失望——和我所期望的完全相反，他一直保持缄默，快快不乐。幸运的是他终于有了微笑，这微笑犹如太阳穿透了乌云。我想如果不是因为他的微笑，可能雪弗莱还在巴黎，和他的父亲及兄长那样，继续做一个木匠——当然也可以说是家具制造者。

行动比言语更具有力量。做一个微笑者，微笑会让人明白："我喜欢你，你使我快乐，我很高兴见到你。"

这就是狗之所以讨人喜欢的原因。它们见到我们时总是那么高兴，以至于迫切到心都几乎要从肚子里跳出来似的。因此，我们就很高兴能够看到它们。

一个孩子的微笑也有相同的效果。你是否曾在医院的候诊室待过？一般来说，你会看到四周的人都阴沉着脸，一副非常苦闷的样子。住在密苏里州雷顿市的兽医史蒂芬·史波尔曾对我说过这样一件事：有一年的春天，在他的兽医候诊室中挤满了带着宠物准备注射疫苗的人。也许每个人都在想该干些什么，而不是坐在那儿浪费时间，所以没有人在聊天，气氛非常沉闷。

这时进来一位女士，她带了一只小猫和一个大概9个月大的孩子。她坐在一位男士的旁边，而这位男士已经等得很不耐烦了。可是当他朝旁边看时，他发现那个孩子正注视着他，并咧着嘴天真无邪地朝他笑。你猜这位男士的有什么样的反应？

正如我们想象的那样，他也对那个孩子笑了笑，然后他就和那位母亲攀谈了起来。他们聊起了她的孩子、他的孙子和天气。很快，原本乏味僵硬的候诊室开始活跃起来，大家开始相互聊天，每个人的等待都成了一种愉快的体验。

那小孩的笑是否是不诚意的笑呢？绝对不是。不诚意的笑是骗不了人的。那种笑是机械的，我们都讨厌它。我们所讲的微笑一种真正的微笑、热心的微笑、发自内心的微笑，只有这样的微笑才在人际交往中极具价值。

密歇根大学的心理学家詹姆斯·麦克奈尔教授谈及他对笑的看法时说，笑容比皱眉头更能传达你的心意。总是带着笑容的人在管理、教育、推销上更容易有成效，也更容易培养快乐的下一代。所以在教学上，我们赞同以鼓励和微笑代替处罚。一家纽约大百货公司的人事经理谈及招聘的时候告诉我说，他宁愿雇用一名有可爱笑容，即便没有念完中学的女孩，也不愿雇用一个面孔冷淡的人，哪怕他是一个哲学博士。

学会自责，让别人无话可说

如果自己是正确的，可以使用一定的技巧，委婉而友好地让别人同意自己的看法。但一旦发现是自己的错误，就要赶紧真诚地承认，这要比为自己争辩好得多。

　　我在纽约的中心地区住，从我家步行一分钟可以看到一片树林。春天的时候，黑草莓中间长满了白色的花儿，松鼠在此快乐地生活，草跟人几乎一样高，这片原始的林地就是森林公园，看样子就像名副其实的森林。

　　一天下午，我第一次来到森林公园，我的惊奇不亚于当年哥伦布发现新大陆。从此，我就跟我的小波士顿斗牛犬雷斯到这散步。我的雷斯很听话，它没有咬过人，而且公园里的人也很少，所以我就没有给它拴狗链或戴口罩。

　　我们正在散步，过来了一位骑马的警察，他似乎急于显示自己的官威，一来就叱责我："你为什么不给它拴上狗链，还让它这样到处乱跑。难道你不知道这是违法的吗？"

　　"啊哈，我知道这个，"我用温和的语气对他说，"但我的雷斯是不会咬人的。"

　　"你以为不会！法律不允许你这种自以为是的想法。它可能会咬死这里的松鼠，可能还会咬伤小孩。要是下次我再看到你没给它拴狗链，那你就自己去找法官说吧！"

　　我很礼貌地就答应了。

　　我试着为雷斯拴了几次狗链，但它每次都很不耐烦，于是我就不让它再受罪了，我们又像原来一样出去散步了。没想到几天后就出问题了。

　　这天下午，我正跟雷斯在一座小山坡上赛跑，突然那位骑马的警察又过来了，雷斯不由分说就向他冲去。

　　这下麻烦可大了。好在我已经有了心理准备，不等他开口就先发制人："警官大人，我刚好被你抓个正着，我不会再找什么借口了，这都是我的错，您上个星期已经警告过我的。"

　　"没关系，"没想到，这位警察竟然变得温和起来，"这里又没什么人，谁都愿意带这样可爱的狗狗出来散步的。"

　　"话是这样说，"我说道，"可这毕竟是犯法的啊！"

　　"这狗狗这么小应该不会咬人。"警察反而为我开脱了。

"也许它会咬松鼠。"我这样说。

"没那么严重，"他又说道，"这样，你让它跑过这座小山，只要我眼睛看不到，就没什么事。"

警官也是人，他也想得到别人的尊重，我开始自责的时候，也就是满足他自尊心的时候。所以，不必为自己辩护，也没有必要跟警察争执。

不跟他起正面的冲突，因为这时候我肯定是错了，警官绝对没错；相反，我爽快地承认自己的错误，他反而为我开脱。原因在于我为他说话的时候，他也会为我着想，事情就在这样温和的气氛中解决了。当我们无法避免叱责时，就抢先认错吧，自责总比被人责备要好一些。

要是你知道谁想责备你，可以在他说话之前抢先说出他想说的话，那他就无计可施了。相反，他会对你的过错表示宽宏大量，原谅你的失误，就像那警察对我和我的雷斯一样。

永远不要伤害别人的自尊

在我们的一次培训课上，两个学员讨论起来"保留面子"这一问题。宾夕法亚州哈里斯堡的弗瑞·克拉克就说了一件这样的事情。他说："在一次会议上，我们公司的副董事长就一个问题质问一位生产监督，态度严厉，用语刻薄。这位生产监督只好支支吾吾地应付着，这样更激怒了副董事长。于是他大声指责监督说谎，语气也更凶了。这次会议在那位生产监督心里划了很深一道伤痕，从此他再也不好好工作了，几个月后他就辞职了。实际上，在此之前，那位生产监督干得很不错，而且辞职后他在别的公司干得也很好。"

卡耐基培训班的另一位学员安娜·马佐尼也讲了这样一件事，不过由于处理方式的不同，她就比较幸运。她说，她的工作是在食品包装业做市场营销，她投入到这个行业所做的第一件事就是做一个新产品的市场调查。可是，她说：

"当我做完调查后发现，在运作过程中我犯了一个非常大的错误，导致所有的测试不得不再做一遍。更糟糕的是，在重做之前，我必须要向老板汇报相关细节。汇报工作的时候，我心里很害怕，就努力控制自己不哭出来，我毕竟是一个要面子的女人。我用很短的时间汇报了事情的情况，最后说我不得不重做，我还说下次会议前我一定会做出来的。然后我就等着挨训。没想到老板不但没训我，反而还感谢了我，说第一次犯错不足为奇，他相信下次我会做好的。开完会后，我心中平静不下来，我决心以后一定好好干，不让老板失望。"

有时候，即使我们是正确的，别人是错误的，但若让对方丢面子的话，事情会变得更糟。法国传奇飞行家、作家安托安娜·德·圣苏荷依说："我无权伤害任何一个人的自尊。关键不是我认为他怎样，而是他认为自己怎样，伤害他人的自尊无异于犯罪。"

一个真正的领导者应该是这么做的，让我们看看已逝的德贝特·摩洛怎样处理的。为了让好斗的对立双方化敌为友，德贝特·摩洛先仔细地找出双方正确的地方，然后针对这些正确的做法突出表扬，无论事情怎样，他都不去指责他们错的地方。

成功者是不会把时间浪费在向被击败的对手炫耀自己的胜利上的。不妨看看这样一个例子。

经受了长达几个世纪蹂躏，1922年，土耳其人终于决定，要把希腊人从自己的土地上赶出去。跟拿破仑一样，穆斯塔法·凯末尔给自己的士兵发表了激情洋溢的演说："我们要打到地中海去。"经过惨烈的争斗，土耳其人终于赢得了战争。

两位希腊将领迪黎科皮和迪欧尼斯不得不到凯末尔的总部投降，他们受到了土耳其人民的唾骂。可凯末尔本人并没有像一般胜者那样趾高气扬，而是握着他对手的手说："两位先生请坐，你们一路过来辛苦了。"双方在商谈完投降的细节后，凯末尔对这两位将领的失败表示理解和安慰，还用军人的语气鼓励他们说："在战场上，最优秀的不一定是赢家。"

别人满意自己才会满意

他成功化解了别人的误解，也使公司的声誉免于受损。

迪恩·伍考克是宾州匹兹堡一家电力公司的部门主任，最近他的手下要去维修一根电线杆上的某种设备。以前这不是他们部门的活，只是最近才分给他们这个部门干的。

他的部下知道这项新工作是怎么回事，但从来没有实际操作过。公司的其他员工都想看看他们的办事能力，伍考克下属的几个组长和其他部门的同事，都来看他们干得怎样。突然，伍考克发现，还有人拿着照相机，准备拍下实况。电力公司都是很注意公众形象的。也许那位拿照相机的人认为，这个样子很好笑，这么多人看两个人是怎么干活的。

想了想，伍考克还是走到那位拿相机者跟前，对他说："你很关心我们的工作吗？"

那人竟说："当然，我的母亲肯定会关心的，因为她持有你们公司的股票。她已经了解了你们的公司，应该知道购买你们的股票是个错误的决定。这么多年，我都告诉她你们公司铺张浪费，现在终于抓住证据了。也许报纸也会关注我的照片。"

迪恩·伍考克耐心地说："如果我是你的话，可能我也会这么想的。但这次不是你想象的那个样子……"伍考克向那人说明，我们这个部门只是刚换了工作，公司很关注我们的工作能力，所以大家才围过来看。伍考克向他保证，一般情况下大家都有自己的事，是不会来参观的。就这样，那人收起了自己的相机，和伍考克握手言谢后就离开了。伍考克成功地挽救了公司的声誉。

九

不忧虑，你才是自己最大的敌人

—— 不为未发生的事情劳神伤身

一个人内心的想法是非常重要的。好的想法考虑到原因和结果，可以产生合乎逻辑的、有建设性的计划；而坏的想法通常会导致一个人的心理紧张，甚至精神崩溃。而亚里士多德则提出了抵御忧虑的方法，他说："一个人在生活中难免遇到这样那样的忧虑。如果把忧虑的时间用来分析和看清事实，那么忧虑就会在我们智慧的光芒下消失。"

忧虑是我们最大的敌人

战争时代，将军必须为将来作打算，但却不会有任何的焦虑感。美国海军上将厄耐斯特·金恩说："我把我们最好的装备供应给最好的士兵，再交给他们最拿手的工作，我能做到的就是这些。如果我们的一只船被击中了，我不能把它捞上来，要是它沉下去了，我也没办法。我的时间是要花在解决明天的问题上，没时间为昨天的问题而后悔不已。况且，要是我为这些无意义的事情烦恼的话，我也不会坚持很久的。"

实际上，不论是和平年代还是战争时期，好想法和坏想法都是一样的，区别都是前者通过前因后果产生有意义的规划，后者前思后虑而导致一个本该清醒的大脑紧张甚至崩溃。

我曾有幸访问到世界上最有名的《纽约时报》的发行人亚瑟·苏兹伯格先生。他对我说，当二战的战火燃过欧洲时，自己很吃惊，也很担心未来的日子，以至于寝食难安，不得不半夜从床上爬起来，找出颜料和画布，对着镜子画下自己的自画像。那时候他对绘画还一无所知，但依旧坚持画自己，目的是转移注意力不再担惊受怕。最后，他在一首赞美诗里发现了自己的座右铭，从此，他消除了忧虑，心灵上得到安宁。这段话是：

只要一步就好，

指引我，仁慈的灯光……

请你常在我脚旁，

我并不想看到远方的风景，

只要一步就好。

差不多是同一时间，一位年轻的士兵也学到了这样一课，他就是住在马里兰巴铁摩尔城的泰德·班哲明诺，他一度曾经忧虑得丧失了士兵的勇气。

泰德·班哲明诺写道："1945年的4月，我的忧愁使我得了结肠痉挛病。这种病极为痛苦。要不是当时战争结束的话，恐怕我早已经垮掉了。

"当时的我在第94步兵师担任士官，工作内容就是建立和维持一份在作战中死伤和失踪者的人名记录，并帮助发掘那些在战争中死亡并被草草掩埋的士兵，同时收集那些人的私人物品，准确地将他的物品送到他的朋友和家人手中。我整天筋疲力尽，担心我能否撑到明天，担心自己不能活着回去抱一抱我唯一的儿子——这个16个月的孩子出世以来我还从来没见过呢。整天劳累的工作、紧绷的神经让我憔悴不堪，足足瘦下来34磅。即便如此，我仍然疯狂地担心、忧虑。眼看自己瘦得只剩皮包骨头，却毫无办法。我不能想象，我怎么这样瘦弱不堪地回家面对我的妻儿，因此我哭得浑身发抖，像一个孩子，可就是一点办法也没有……这样的日子持续了很久，直到德军最后大反攻开始不久，我还经常这样哭泣，几乎丧失正常人的生活能力。

"不得已，我被送进了医院。一位军医为我作了一次彻底的全身检查，然后告诉了一句可以改变我一生的话。他说'泰德，你没有什么不好，你的问题纯粹是精神上的。我希望，你能把自己的生活想象成一个沙漏。沙漏的上一半装满了成千上万粒的沙子，它们毫无例外的缓慢而均匀地穿过中间的窄缝。我们无法让两粒以上的沙子同时通过那条窄缝，除非弄坏这个沙漏。我们每一个人，就像这个沙漏，每天早上都会看到很多的事情要做，我们知道，我们得把它们在这一天完成。但是我们只能一次做一件事情，顾不了其他，这样就逐渐均匀地过完了这一天，正如沙粒通过窄缝一样。否则不如此的话，我们一定会让这些事情损害到我们的身体或精神'。

"从那以后，我就一直记得这位军医的话：一次只流过一粒沙……一次只做一件事，这就是我之后的人生哲学。它不但挽救了当时状态非常糟糕的我，也对我以后的工作产生了很大的影响。现在，我在一家手工艺印刷公司的公共关系及广告部工作，我发现，生意场也像战场一样，如果没有充足的时间，就没法一次将几件事都做得尽善尽美。有时候，出现材料不够、新表格需要处理、地址有所改变、分公司要增开或关闭等等意外事件，我就不再忧虑不安。因为我时刻牢记那位军医的话：'一次只流过一粒沙子，一次只做一件工作。'我经常在心底默念这句话，我的工作也越来越有效率，越来越得心应手，再也没出现过战场上那种令我混乱和崩溃的状态。"

今天的生活，最可怕的事就是医院里有半数以上的神经或者精神上有问题的人，这些都是被无数个令人担忧的昨天和明天打垮的病人，而他们只要奉行耶稣的话"不要为明天忧虑"，或者听从威廉·奥斯勒爵士的建议"活在一个完全独立的今天"，他们就能跟正常人一样，开心地逛街和购物了。

不因无法入眠而忧虑

要是你常常失眠无法入睡的话，那正是你的忧虑让自己得了失眠症。

要是你经常睡不好觉的话，你会不会因此而担心呢？可能你会想知道，国际知名的大律师撒姆尔·昂特迈耶几乎一辈子都没好好睡过一天觉。

在上大学期间，撒姆尔·昂特迈耶一直为两件事担忧：气喘病和失眠症，这是两种难以治愈的病。既然不能改变什么，他决定退一步去想这件事，充分利用自己清醒的时间。于是，他不会再因为在床上翻来覆去睡不着觉而忧虑，一发现自己睡不着了，就起来读书。结果呢？他每门功课都名列前茅，成了纽约市立大学的奇才。

在成为律师后，他的失眠症仍然没有好转。但是他一点也不为此忧虑，他总认为："上帝会照顾我的。"事实确实这样，尽管他每天睡得很少，但他的身体一直却很健康，一样能像所有纽约法律界的年轻律师们那样拼命，甚至工作成就已经超过了其他人，因为别人已经进入了梦乡，他还在清醒地工作。

所以，在他年仅21岁的时候，撒姆尔·昂特迈耶的年收入已经高达7.5万美元，以至于很多其他的年轻律师都去探讨他成功的方法。1931年的一次诉讼案中，他还从中获得100万美元的酬劳，而且全部是现金，这可是有史以来律师所得酬劳最高的一次啊！

许多年后，他依然无法摆脱失眠症。所以，晚上一半的时间，他都在看书，早上5点就起床了，开始口述文件。当8点钟大家开始上班的时候，他这天的工作差不多已经做了一半了。他就这样一直活了81岁，在他工作的时间里，他难得有一天睡得很香。要是他一直因为失眠而备感压力的话，恐怕早就精神崩溃了。

在我们的一生中，有三分之一的时间都在睡觉，可是却没有谁知道睡觉到底是怎么一回事。我们只知道睡眠是人类的习惯，是我们休息的一种状态，但是我们并不知道一个人到底需要睡多长时间，甚至不知道一个人是否真的必须要睡觉。

也许你觉得不可思议，但这其实一点也不奇怪。一战期间，一个匈牙利士兵，叫做保罗·柯恩。在战场上，他的脑前叶被子弹打穿了，幸好没死。养好伤，他的生命却因此而改变：他从此再也睡不着觉了。医生使用了各种方法，各种镇静剂、麻醉剂、催眠术都统统用到他身上，但他就是睡不着，连困倦都不觉得。

医生们都觉得他活不长了。令人想不到的是，保罗·柯恩瞒着大家找了一份工作，然后健康地活了好多年。有时候，他也会躺下来闭眼休息，可他却无法真正地睡着。到现在为止，保罗·柯恩的病例还是医学史上的奇迹，一个无法解释的谜团，他推翻了我们人类关于睡眠的很多遐想。因为失眠而忧虑，这种伤害要远远超过失眠症本身。

尽自己最大的努力，只活好今天

1871年的春天，有这样一位年轻人，他在一本书中读到一句对他前途有很大影响的话。

当时，这位梦特端综合医院的医科学生正对生活充满了忧虑，不知道怎样才能通过眼下的期末考试，不知道未来该做什么，也不知道将来自己会在什么地方，创立什么样的基业，更不知道明天该怎么生活。

正是从书上看到的一句话，改变了这位年轻的医科学生，使他后来成为最有名的医学家，创建了举世闻名的约翰斯·霍普金斯医学院，并成为牛津大学医学院的钦定讲座教授——这可是学医的大英帝国人所能获得的最高荣誉，同时他还被英国国王册封为爵士。这是多么崇高的荣誉！他因此无忧无虑地度过了一生，直到他死后，还需要人们用1466页的两大卷书才能记述他这传奇的一生。

这个幸运的年轻人就是威廉·奥斯勒。你不免好奇，1871年的春天，威廉·奥斯勒到底看到一句什么样的话，怎能有如此巨大的能量？这是汤玛士·卡莱里写的一句话："对我们大家来说，生活中最重要的事情不是遥望将来，而是动手理清自己手边实实在在的事。"

42年后，一个温馨的春夜，当郁金香开满校园的时候，威廉·奥斯勒爵士给耶鲁大学的学生作了一次演讲。他说，像我这样一个曾在四所大学当过教授、撰写过畅销书的人，大家以为我会有"特殊的头脑"。但事实并非如此，我的朋友都知道，我的脑袋是再普通不过的了。

也许你要问了："他成功的秘诀是什么呢？"威廉·奥斯勒爵士认为，他之所以成功，是因为他活在"完全独立的今天"。怎么理解？当他给耶鲁大学的学生演讲的前几个月，他乘巨轮横渡大西洋，看到船长站在舵房里，按下一个按钮，就传来一阵机械运转的声音，船身就被隔成几个完全防水的隔舱。

因此，奥斯勒爵士对耶鲁大学的学生说："你们每一个人，身体构造都要比那艘巨轮精细得多，航程也更远。我要对你们说的就是，你们要学习船长控制一切的能力，活在一个'完全独立的今天'，这样才能确保人生的航程绝对无误。作为人生的船长，你们会在舵房里发现，那些大的隔舱都可以使用，你只需按下按钮，倾听生活的每一个层面，同时把未来也隔断。这相当于隔断已经死去的明天，然后你就安全了。切断过去，意味着埋葬已经死去的无价值的东西，否则昨日的责任、明天的重担，会成为你今天成功的最大障碍。所以要把未来和昨天一起紧紧关在门外，未来就在于今天，根本不存在明天这个概念。就把今天当作耶稣救赎的日子，否则，只有白白浪费精力，遭受郁闷。同学们，把你大船上船前船后的大隔舱都关上吧，养成一个完全活在今天的良好习惯，这就是我要对你们说的话。"

奥斯勒爵士的话并不是说我们不必为明天下工夫准备，他说："最好的准备方法，就是尽自己最大努力，把今天的工作做到完美无缺，这才是应付未来唯一可靠的方法。"

所以呢，为明天着想是不错的，我们可以小心地考虑，严密地计划和准备，但不必担忧。

生活很艰辛，淡定的态度很重要

几年前，我曾参加过一家广播电台的节目，被问到这样一个问题："你觉得自己学的什么课程最重要？"

这对我来说是个很简单的问题，那就是思想的价值。别人要是知道你在想什么，就能了解你了。每个人的个性，一定程度上来说，都是由他自己的思想所决定的。人生的路程也就是思想的痕迹。爱默生说："人就是自己整天想的那样……"否则，人怎么可能成为其他样子呢？

我非常确定一件事，人们必须面对，也是必须面对的唯一问题是什么是正确的思想。要是回答了这个问题，所有的问题都不再是问题。古罗马帝国的伟大哲学家阿流士说了一句决定人生命运的话："思想决定生活。"

确实，倘若我们每天都快乐，整天想的都是开心的事，我们自然就得到了快乐；反之，要是整天想悲伤的事情，我们就感到悲伤；要是想恐怖的事情呢，我们内心就会充满恐惧；要是整天想邪恶的事情，就会导致心神不宁；害怕失败，失败就来了；孤芳自赏，朋友就远了。

这不是说心理暗示，也不是说我们要用乐观的态度看待所有的困难。绝对不是这样的，生命从来不是简单的。我这样说是为了让大家有个积极的生活态度，而不是以消极的心态看待生活中的各个问题。也就是说，我们要关注自身种种，但不能停留在忧虑上。关注和忧虑有什么区别？让我说得更明白一些。每次经过纽约市中心，遇到交通堵塞，我都很关注自己的处境，但我不会担忧。关注就是了解问题的关节，然后客观冷静地采取行动来解决；忧虑则是在狭小的圈子里打转转，一点点让自己疯狂。你是否快乐，就看你对人生、对世界万物的看法。完全可以这么说，思想决定生活。

人生完全可以是这样子的，一边面临重大困境，一边在衣襟上插上一朵花，潇洒地穿过闹市。我见罗威尔·托马斯就是这么做的。当时我正在协助他拍摄一部关于艾伦贝和劳伦斯在一战中的电影，真实纪录了劳伦斯和他那支阿拉伯军队以及艾伦贝征服圣地的经过。影片中穿插了罗威尔·托马斯著名的演讲《巴基斯坦的艾伦贝和阿拉伯的劳伦斯》，这才在伦敦甚至全世界都引起了极大的轰动。

为了让这惊艳的故事出现在卡文花园皇家歌剧院，伦敦的歌剧节不惜延迟6周。果然，这部片子在伦敦获得了巨大的成功，然后罗威尔·托马斯就到世界各地四处旅行。经过两年半的准备，他准备拍摄一部关于印度和阿富汗生活的纪录片，这时，接二连三的厄运来了，他破产了。

我们当时经常见面。我清楚地记得，我们不得不到街头小饭店吃廉价的食品。要不是著名的苏格兰画家詹姆斯·麦克白接济，恐怕我们连这样的东西都吃不到。

这都不是问题的关键，关键问题是，面临债务危机。罗威尔·托马斯虽然很重视，但却没有忧虑。他知道，要是自己再垂头丧气的话，那就真的灰头土脸了，尤其是面对着债权人的时候。所以每天出门时，他都在自己的衣襟上插一朵花，然后昂首挺胸地走出去。他心中充满了勇敢和积极的想法，绝不会让挫折击倒他的。在他看来，挫折不过是生活经验中的一种，是攀登事业高峰必经的有益训练。

人的精神状况还会影响肌体作用力。英国著名心理学家哈德菲写了一本小册子《力量心理学》，虽然只有54页，但内容绝不简单。书中说："我请三个人来做心理对生理影响的测试，使用的工具是握力计。"在试验中，他们三个分别在不同的情况下用尽力气抓紧握力计。

一般情况下，他们平均握力是101磅。对他们进行催眠时，让他们觉得自己很虚弱，结果他们的平均握力只有29磅，还不到正常力量的三分之一。催眠之后，又让他们觉得自己是强壮的，这时他们的平均握力又上升到142磅。这个试验告诉我们，人们在潜意识里肯定了自己的力量后，力量就增加了近百分之五十。这就是心灵的力量，难以置信吧？

新的生活从"心"开始

很久以前的一个晚上，我的邻居按门铃进来告诉我，我和我的家人得去接种牛痘，这样可以防止天花。邻居是纽约市几千名志愿者中的一人。听到他这样的话，我们吓坏了，都排了好几个小时的长队去接种牛痘。当时几乎所有的医院、消防队、警察局和大的工厂里都设了接种站，两千多名医生和护士昼夜不停地为人们种痘。为什么大家都这么紧张呢？原来，在有800万市民的纽约城中，有8个人得了天花，其中两个还死了。这就是说，纽约有八百万分之二的人死于天花，大家为此都惶惶不安。

可是，我在纽约已经生活了37年，却没有一个人按门铃来告诉我说，提醒我预防精神忧郁症。实际上，在我所知道的37年中，精神忧郁症给人们的伤害，远远超过天花给人类的伤害，至少要大上一万倍。

但是，从来没有人深夜按门铃来告诉我，目前人类中有十分之一的精神崩溃者。这些精神崩溃者，多是由于忧虑及感情冲突引起的。我现在把这些写出来，就是要给你按门铃，为你提出善意的警告。

忧虑就像那永不停息下滴的水珠，一滴，一滴，又一滴，滴滴都是忧虑，积久了就把人逼疯了，自杀也是有可能的。

诺贝尔医学奖获得者尤利西斯·科瑞尔博士说："如果一个商人不知道怎样抗拒忧虑，他将付出短命的代价。"事实上，不仅是商人，家庭主妇、兽医和泥瓦匠，我们每一个人都是这样的。

几年前我曾跟戈伯尔博士一起乘车经过得克萨斯州和新墨西哥州。当时，他是圣塔菲铁路的医务负责人，还是海湾—科罗拉多—圣塔菲联合医院的主治医师。在闲聊中，我们谈到忧虑对人的影响，他说："那些病患者，70%的病人只要消除自己的恐惧和忧虑，身体就会好起来。但是，他们却都因为生病而恐惧。而且这种病，就好比人长了一颗蛀牙，甚至更严重，如神经性的消化不良、胃溃疡、心脏疾病、失眠、头痛和某几种麻痹症等病症。"

戈伯尔博士补充道："我给你说的这些病并非无稽之谈，都是我行医过程中亲眼见到的。况且我自己就得过12年的胃溃疡。而实际上，这些病本来都是可以避免的。因为，恐惧会令人忧虑，忧虑使人紧张，紧张就会影响到人的内部神经，胃液因此就变得不正常了，这就产生了胃溃疡。"

约瑟夫·孟坦博士的著作《神经性胃病》也同样提到了这个问题。他在书中写道："有时候，胃溃疡的发病，不是因为你吃了什么不好的东西，你的忧愁也有可能引起这种病。"

梅奥诊所的阿法瑞苏博士也说过类似的话："胃溃疡症状的发作和消失，通常会根据病人情绪的紧张程度而变化。"阿法瑞苏博士的这个结论，是通过对1.5万例胃病患者研究后证实的。在他的研究中，有五分之四的患者并非因为生理的原因而得病，而是由于恐惧、忧虑、怨恨、极端自私等原因无法适应现实中的生活，而胃溃疡可以摧毁一个生命。

后来，我跟梅奥诊所的哈罗·哈贝恩博士有几封书信往来。我得知，他曾经在全美工业界医生协会的年会上宣读过一篇论文。文中交代，他通过对176位平均年龄为44.3岁的工商业负责人研究发现，他们中大约三分之一的人由于生活紧张得了这三种病症之一——心脏病、消化系统溃疡和高血压。试想一下，这些成功的人士中，这些病的患者竟高达三分之一，而他们的平均年龄还不到45岁，由此可见这些负责人为了成功付出了多么高的代价。

对于一个生命来说，就算他赢得了整个世界，但却没有了健康，这对他本人来说有什么好处呢？即便他拥有了全世界，生命所需要的不过是一张床、一日三餐而已。挖水沟工人的生活就是这样的，他甚至比一个位高权重的人睡得更踏实，吃饭也更香。就这一方面来说，这些负责人不是在追求成功，谁见过一个患胃溃疡和心脏病的人还有能力去拼命追求事业的成功呢？我不愿意自己还不到45岁的时候，就为了掌控一个铁路公司或烟草公司而弄垮了自己的身体，而宁愿自己是一位亚拉巴马州租田种地的农夫，每天放一张五弦琴在自己的膝盖上自娱自乐。

抛开忧愁，远离噩梦

我小时候总担心这担心那。我们家就在密苏里州的一个农场上，一次我帮妈妈摘樱桃时，突然哭起来了。妈妈很奇怪，就问我："孩子，你哭什么啊？"我抽抽搭搭地回答她说："我怕将来自己被活埋了。"

小时候的我总充满忧虑。刮风下雨的日子，我担心自己被雷电击死；生活艰难的时候，我担心自己饿死；我害怕死后会下地狱；担心大男孩詹姆·怀特割掉我的耳朵（他这样威胁过我）；我还害怕女孩子笑话我的脱帽礼；担心将来没有女孩子肯嫁给我；万一结婚了，我还发愁第一句话该和妻子说什么好。我甚至想过，我和我的妻子会在乡下教堂里结婚，然后

坐着一辆上面垂着流苏的马车返回农庄，我得准备足够的话题供我们一路上交流。可是我该说些什么呢？怎么会有这么多话呢？我帮助妈妈做事的时候，经常要花半天的时间想这些"惊天动地"的大问题。

日子就在我的胡思乱想中一天天过去了，可我渐渐发现，我担心的这些事，99%都不会发生。就拿被雷电击中这件事来说吧，我小时候很怕被雷电击死，可是现在我知道，我被击中的概率只有三十五万分之一。

再比如说，小时候我害怕被活埋，这真是荒谬！因为，即使木乃伊之前的那些野蛮时代，1000万个人里面也许才只有一个人被活埋，这种事在现代的文明社会就更不可能了。但我以前却因为这样的恐惧，而担心得哭泣。

有人说，每8个人中就会有一个人死于癌症。我如果一定要担心什么，也应该担心癌症之类的事，而不是被雷电击死或活埋。

我刚才说到自己小时候的事，你一定觉得很好笑。其实现在很多成年人担心的事，也跟我这些经历一样可笑。在忧虑之前，首先就要根据事情发生的平均概率算算我们的忧虑是否值得，也许你会发现你也有99%的忧虑可以消除。

世界知名的保险公司——伦敦的罗艾得保险公司，就是利用人们的这种心理取得成功的。伦敦的罗艾得保险公司的做法类似于赌博，它无异于向人们打赌说，只要加入他们的保险，你们所担心的灾祸永远不可能发生，如替你保鞋子的险，保船的险。而实际上，这些事情带来的灾难并非别人想象得那么普通和常见。这种保险就是根据事件发生的平均概率而存在的。如今这家大保险公司已经有两个多世纪的良好记录了，只要人担惊受怕的本性不变，这家公司至少还可以再维持50个世纪。

仔细思考一下，我们将会发现，有些事件发生的平均概率还跟我们看到的事实有一定的距离。举个例子说明。假如未来五年时间里，我不得不参加一次类似盖茨堡那样惨烈的战役，我肯定很害怕，一定想办法加入人寿保险，还会写遗嘱，把自己所有的财物都卖掉。因为我认为，既然没法熬过这样的战争，我一定要痛痛快快、开开心心度过我的余生。实际上，根据平均概率，在和平时期，半个世纪内，每1000个人里死去的人，跟盖茨堡战役中每1000人里阵亡的人数相差无几。

回首往事，我发现，我所忧虑的大部分问题，纯属自寻烦恼。詹姆斯·格兰特对我讲了他的经历，也得出跟我同样的结论。

詹姆斯·格兰特是富兰克林市格兰特批发公司的老板，他的业务是从佛罗里达州批发10~15车的橘子之类的水果。他对我说，他以前也经常想没价值的问题，如万一火车失事了我该怎么办？也许水果会滚落满地的。要是火车恰好经过一座大桥时大桥塌了又该怎么办？虽然这些水果都是投了保险的，但他还是担心这些可能的意外会影响水果的运输，那么自己就会失去原有的市场。他整天为这些事情担心，甚至担心自己这种忧虑的状态会得胃溃疡。为此，他特意找了大夫为自己做检查。大夫检查后告诉他，他没有病，只是精神太紧张了。

他说："我这时候才意识到是自己想多了。我就问自己'詹姆斯·格兰特，从事这个行业这么多年你批发过多少车的水果。'答案是'2.5万多车'。我又问'2.5万车，只有5车发生了意外，这说明了什么？五千分之一的概率。也就是说，根据这些经验，你车子发生意外的概率是5000:1，这还有什么好担心的呢'。我就对自己说'以前你以为桥会塌下来，那么，在过去的日子里，有几次意外是因为桥塌了而发生的呢'。答案是'一次也没有'。然后我就计算，一座根本没发生过意外的桥，五千分之一的火车失事的几率，居然让你担心到自以为得重病的程度，这样想不是太可笑了吗？

"当我想通了这点，我就觉得自己以前真的很可笑。于是我就作出这样的决定，以后再担忧的时候，就想想事情发生的平均率。从此以后，我再也没有因为所谓的'胃溃疡'而烦恼过。"

所以，在忧虑摧毁我们之前，不如根据以前的记录，看看那些平均率，我们所担心的事情，可能发生的机会有多大？

人类最大的烦恼就是自寻烦恼

要是我们不能保持忙碌，整天闲坐着发愁，就会想那些被达尔文称作"胡思乱想"的东西，这些"胡思乱想"，就像传说中的妖魔鬼怪，他们会挤走我们积极的思想，摧毁我们的意志力，破坏我们的行动能力。

我认识的一位纽约商人，屈波尔·朗曼，也曾是我成人教育班里的学生。他消除忧虑的方法很特殊，也很有意思。他的方法也就是通过忙碌来撵走那些"胡思乱想"，让头脑没空发愁，我这就给你讲讲他的故事。

一次下课后，我请屈波尔·朗曼跟我一起用宵夜。我们找到一家餐馆，吃饭，长谈，直到深夜。他告诉我说："18年前我曾患过严重的失眠症，这是由于过度忧虑引起的。当时的我非常暴躁，整天紧张不安，精神濒临崩溃。

"我为什么会发愁呢？当时我是纽约西百老汇大街皇冠水果制品公司的财务经理。我们的公司投资了50万美元，业务内容就是把草莓装进1加仑装的罐子里，然后把这1加仑的罐装草莓卖给制造冰淇淋的厂商。我们这样做了20年，可是有一天，大的冰淇淋制造厂商，如国家奶品公司等，他们的产量大增，为了节省开支，他们不再购买我们1加仑的罐装草莓，而是买6加仑一桶的桶装草莓，这样一来我们的产品市场就很小了。我们不仅没法把我们价值50万美元的草莓卖出去，而且根据以前的合同，在未来一年里，我们还得再购买价值100万美元的草莓。而当时，我们已经向银行借过35万美元了。我们既没法还钱，又没法再续借，我为此忧虑不已。

"我跑到公司设在加州华生维里的工厂，想告诉总经理这些新情况及我们可能面临的毁灭性打击。可总经理不这么认为，一味地把责任推给纽约的公司和那些一线的业务员。

"经我一再请求，我终于说服他不再用这1加仑罐装的包装，把新的包装投放到旧金山的新鲜草莓市场上卖。此举基本上能解决我们的财政困难，我可以松一口气了。但是我还是担心，这已经成为一种无法摆脱的习惯。

"我返回到纽约，对所有的事情都担心。从意大利买的樱桃，从夏威夷买的凤梨，这每一件事都让我担忧，紧张得睡不着觉，觉得自己快要崩溃了。眼看就要绝望了，一种新的生活方式却治好了我的失眠症，我当然也不再总是担忧。那就是让自己不停地忙碌，我用我所有的时间和精力来忙碌，让自己没有时间来前思后虑。以往我每天工作7个小时，可用这个方法，我每天工作十五六个小时。每天早上8点就到办公室开始一天的工作，一直持续到深夜，我还接了新的工作，担负起新的责任。这样忙碌的生活节奏，使我深夜一到家就筋疲力尽地倒在床上，很快就酣然入睡了。

"这样的生活持续了3个月，我那忧虑的坏习惯竟一点一点地改掉了，我这才恢复每天工作七八个小时的习惯。这18年来，我再也没有为任何事失眠过，当然也不再会有忧虑。"

根据萧伯纳的结论："人们忧虑的原因，就是把空闲时间用在自己是快乐还是不快乐这个问题上。"所以，消除忧虑的可靠方法，就是不要去想这个问题，卷起衣袖好好干吧。只有让自己忙起来，血液循环才会加速，思想才会变得敏锐。一句话，让自己忙起来，这就是全世界治疗忧虑的最便宜、最有效、最实惠的良药。

从错误中崛起的迪士尼

他创作的卡通形象给全世界带来了欢乐，也给他自己带来了巨大的财富。而他最初的灵感，只来源于一只毫不起眼的小老鼠。

三十多岁的华特·迪士尼如今已是世界上无人不知的名人，然而，在他二十多岁时还只是一个穷困潦倒的小人物。他凭借着《米老鼠》和《猪小弟》，成为美国最为著名的人物之一，全世界的人都爱看《米老鼠》，阿拉斯加的影迷们甚至还成立了一个"米老鼠会"，每年他们都会在雪屋中聚会欢宴。

迪士尼当初的确是一无所有，不过在他赚到钱后，就把所有的钱全部投入到了卡通制作上，因为卡通影片所赚取的利润可比银行的利息要多得多。他在年少之时，就到了堪萨斯城。当时，他的理想是成为一名艺术家。一开始，他到堪萨斯的明星报社应聘，希望在那里找一份工作。然而，报社的主编在看了他的一些作品后，认为他的作品缺乏新意，这让迪士尼非常失望和沮丧。

后来，他终于找到一份替教堂作画的工作。但是，这份工作的工资非常低，这点钱连租一个用来创作的画室都不够。无奈之下，他只好将父亲的车库当做他的临时创作室。当时，他还认为这样的生活非常艰苦，但是

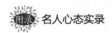

之后他再也不会这么想了，因为这间充满汽油味的车库对他有着重要的意义，说它价值100万美元也不过分。

有一天，他和往常一样正在车库里安静地画画。忽然，一只饥饿的老鼠跳了出来，它在地板上跳来跳去地找吃的。孤单的他也想找个小动物陪伴，于是把一些面包屑扔在了地上。渐渐地，迪士尼和这只老鼠越来越熟悉。有时候，这只老鼠竟会爬到他正在作画的画板上。

有一天，迪士尼经熟人介绍，帮助好莱坞制作一部以动物为主角的卡通片。但是，这次他败得很惨。他不仅穷得身无分文，而且也失去了教堂的工作。

迪士尼在无路可走的情况下，突然想起了在车库里那只在画板上跳来跳去的老鼠，他立刻画出了一只活灵活现的老鼠形象。米老鼠的卡通形象，就这样诞生了。

谁能想到，那只在堪萨斯城车库里已经死去很久的老鼠，竟然会成为世界上最负盛名的卡通片《米老鼠》的原型呢？小影迷给米老鼠所写的信比世界上任何明星收到的都要多；它在全世界所受到的热爱，让其他任何演员都望尘莫及。

华特·迪士尼经常呆在动物园里，研究各种动物的声音。因为他不仅设计米老鼠中的卡通形象，甚至连影片中配音也是由他负责的。他不但为米老鼠配音，其他动物的配音大多也是由他完成。

如今，迪士尼有134位职员帮他管理一切。公司的所有事情，比如画稿、制作字幕、配音乐等，都不用他亲自操心。而迪士尼则利用这大量的富余时间来构思新的计划。每当他有了新构想时，就会和职员们一起讨论。

有一次，他向他的职员们提议，把他儿时听母亲讲的《三只小猪》的故事拍成动画片，但是职员们都不赞成。迪士尼本想就此打消念头，但"三只小猪"的形象在他的脑海中总也挥之不去，这让他不由自主地又提了好几次，但始终没有征得职员们的同意。

最后，他的职员们终于妥协了。他们说："好吧，让我们试试吧！"他们只是不想一再打击迪士尼。实际上，他们对这项计划根本没有信心，他们认为，这部电影的最终结局只有一个，那就是失败。

一部卡通影片的从制作到完成，一般需要3个月的时间。但是他们不愿耗费太多的时间和精力去制作《三只小猪》，于是，他们只用了2个月的工夫便草草地完成了这部影片，因为没有一个职员相信这部影片能赚到钱。

但令他们惊讶的是，《三只小猪》一经问世，便轰动了整个美国。很快，各地的人们都在哼唱那首"谁怕那只大灰狼，大灰狼，大灰狼"的主题曲了。这部原本无人看好的《三只小猪》竟获得了前所未有的成功。

迪士尼本人曾告诉我，这部影片在一些戏院竟然重映了7次，这是自有动物卡通片以来的最好的成绩。所有的人都在想，这部影片肯定赚了大钱，有人推算迪士尼公司从这部影片中至少可以赚到30万美元，但迪士尼却亲口告诉我，公司只赚了12.5万美元。

迪士尼的卡通片，的确具有不朽的价值。因为，事实就摆在眼前，几十年前制作的《米老鼠》，现在还在一些戏院中放映着呢！迪士尼这一生为动物卡通片所作出的不懈努力，是最值得我们敬佩和赞扬的。迪士尼说过，他制作卡通完全是出自于"兴趣"，而不是为了"赚钱"。据我所知，他没有任何不良嗜好，唯一的业余爱好，也许就是每天下午打打棒球或马球。

信心满满的拳击手

拳击手杰克·邓曾说："我打拳击这么多年来，嘴唇被打破过，眼睛被打伤过，肋骨也被打断过，但我从未感觉到拳头击过来的疼痛。"下面是他自己分享的个人经历。

在我的拳击生涯中，曾经遇过无数难缠的重量级对手，然而我发现，"忧虑"是个比他们都难对付的对手。但我知道，自己必须战胜它，不然，它就会消耗掉我的生命，毁掉我的成功。为了对付它，我专门为自己订了一些制度，以下内容是其中的一部分。

一、在比赛的过程中，我不断地鼓励自己，让自己保持信心。在我和佛波的一场比赛中，我就不断地对自己说："我是无敌的……他无法击败我，他的拳头无法命中……我绝不会受伤……无论在什么情况下，我都要勇敢站着。"我就用类似这样的话语使自己保持自信和勇气，这对我的帮助很大，甚至让我感觉不到对手打在我身上的疼痛。

我打拳击这么多年来，嘴唇被打破过，眼睛被打伤过，肋骨也被打断过。佛波一拳把我打飞出场外，摔在一位记者的打字机上。打字机被压坏了，但我对佛波的拳头却毫无感觉！也许有一次让我觉得疼，那次李斯特·强森一拳打断了我的三根肋骨。我敢说，除此之外，再也没有。

二、我不断告诫自己，烦恼是毫无意义的。每当大赛之前，我往往会非常烦恼，我会在半夜忽然醒来，然后再也睡不着。我担心自己在第一回合就被对手打断了手臂，或是扭断了脚，或是打伤了眼睛，那样的话，我就没办法尽力发挥。每当那时，我就会走到镜子前，对自己说："你真是个大蠢蛋，竟然为一些还没有发生而且可能永远不会发生的事情烦恼。人生苦短，说不准还能活几年，为什么不放开心胸呢？"

我不断地告诫自己："健康是人生最大的资本，再没有什么东西比它更重要。而失眠和忧虑则是健康最大的杀手。"我每一夜都在不停地向自己说这些话，而这种思想也逐渐渗入我的内心深处。

三、对我来说，祈祷是消除忧虑的最好方法。无论是在训练场上，还是在比赛场上，我总是在每一回合铃响之前做祈祷，它会给予我勇气和信心。

"烦恼大王"的转变

穆勒公司车间主任吉姆·勃德索说："我在人生这所学校里，只学会了'烦恼'这门功课，我成了众所周知的'维吉尼亚烦恼大王'。"他讲述了发生在自己身上的故事。

在17年前，当我在维吉尼亚州的布莱克斯堡军事学院上学期间，心中经常充满各种烦恼和忧虑，所以被同学们称为"维吉尼亚的烦恼大王"。由于忧虑，我常常生病，最后学校的医院干脆为我预留了一张病床，以便我随时入住。护士们一看到我，就不由分说先为我打上一针。

我是如此的烦恼，对一切事情都满怀忧虑，以至于有时候甚至忘记了自己究竟在为什么事情而烦恼。我每时每刻都在为许许多多无法解决的问题而烦恼：我担心因物理和其他功课不及格而被学校开除；我担心消化不良和失眠会影响自己的身体健康；我担心家里的经济状况不能让我完成学业；我担心自己无法经常买礼物给女朋友、带她去跳舞，她会跟了其他人……

在这种绝望的情况下，我只好求助于企业管理学教授杜克·巴德教授。和巴德教授谈话的15分钟，对我人生和健康的起了至关重要的帮助。他对我说："吉姆，你应勇于面对现实。如果你能把用于烦恼的一半时间和精力，用来解决自己的问题，你就不会再有任何烦恼了。你只学会了烦恼这门课，而没学会怎么去处理它。"

他帮我制定了三项规则，来帮我消除烦恼：

（1）了解自己究竟为什么而烦恼。

（2）找出这些问题产生的根源。

（3）采取一些有效的行动，来解决这些问题。

我听取了他的意见，并按照这三项规则，拟定了一些实际的计划。我不再为功课不及格而烦恼，而是反问自己为什么会不及格。我知道这并不是因为自己的愚笨，因为我还是校刊的总编辑。主要原因在于我对这门功课根本没有兴趣，而我之所以对它没有兴趣，是因为我觉得它对我的将来毫无用处。现在，我开始改变自己的态度。我在心里说："既然必须通过物理考试才能取得学位，我又怎能抗拒呢？"

我把浪费在烦恼上面的时间转移到专心学习上，最后顺利地通过了考试。我的经济问题，也以勤工俭学的方式得以解决——譬如在舞会上卖果汁。与此同时，我向父亲借了些钱，并保证在毕业后一定还清。

爱情危机也化解了，我勇敢地向那位我曾担心会移情别恋的女孩子求婚，而她现在是我孩子的母亲了。当我现在回想往事的时候，发现当时所忧虑的问题，都不是什么难题，只不过是自己不愿去寻找原因并勇敢面对罢了。

洛克菲勒的淡然心态

一位太太拒绝将女儿嫁给他，因为她认定他将来不会有什么成就，但她怎么也想不到，这穷小子之后却成了闻名世界的石油大王！

洛克菲勒在他一生之中做过三件让世人为之惊叹的事情。

第一，他赚的钱几乎是当时世界上最多的。他的第一份工作，是在炎炎烈日下给别人的马铃薯田锄草，一小时只赚四分钱；然而，当全美国资产超过100万美元的富翁一只手可以数得过来时，洛克菲勒的财富已经将近20亿美元。

第二，他花的钱比当时任何人所花的都多。他的一生总共花了7.5亿，换个方式表述也许更能让人感受深刻：自耶稣诞生以来，平均每分钟花掉七角五分钱，或者说自从3500年前摩西率领以色列人民渡过红海至今，每天花掉600美元。

第三，洛克菲勒仍然健康地活着。他是最令美国民众嫉妒的一个人；他曾经接到过数千封说要杀死他的匿名恐吓信；他的身边日夜都有全副武装的贴身卫士保护，他为创办和管理他的巨大产业费尽了心血。

有多少企业家因在事业上过度劳累而早早逝去啊，我随口就可以说出几个来：操劳过度的铁路大王哈里曼，在61岁就离开了人世；创办"五分一角"（Five-And-Fen-Cent）联合百货公司的富商伍尔渥斯，在67岁时因心力交瘁而死；资产数亿元的烟草大王杜克，去世时才68岁。

哈里曼、伍尔渥斯和杜克三人赚的钱加起来，也没有石油大王洛克菲勒一个人赚得多，然而到如今他仍然健康地活着，尽管他已经是96岁的高寿了。据有关资料统计，在100万的白人当中，只有大约3000人能够活到97岁；而且在这100万人中，没有一个能在96岁时还不用戴假牙。但是，在洛克菲勒的嘴里，你连半颗假牙也找不到。

那么，你也许会想，他能这样健康长寿，是不是有秘诀呢？也许这是天生的，也许和他的性格有关，他性情恬静，做起事来不急不躁。即使在他当了美孚石油公司的经理后，依然保持着良好的休息习惯。在他的办公室里放着一张躺椅，每天中午他都要在上面睡上半个小时，无论当天有多么重要的事情。直到现在，他每天仍然要小睡5次。

洛克菲勒一生为世界医学的发展作出了巨大的贡献，这缘于他55岁时突发的一场大病，当时他拿出数百万美元的巨款作为医学的研究费用；后来，他的企业财团每年都要拿出100万美元提供给世界医学组织，这也为全世界人类的健康提供了非常大帮助。

他的企业财团曾致力于消灭全世界的钩虫病；曾消灭了恶性传染病疟疾；曾发明了黄热病的注射药品。我们每个人都应该为此感谢他，这一点我可以用亲身经历作证。1932年，我在中国。当时中国发生了严重的霍乱，百姓们成批地死去。而为我注射防疫针的医院，就是由洛氏财团所创立的北京协和医院。

洛克菲勒一生中所赚的第一笔钱，来自于帮助母亲养殖火鸡。时至今日，他还在他的8000英亩的农场上养了一窝火鸡，只为唤起他对童年的美好记忆。

当年，他把母亲给的硬币小心地收藏在一个茶杯里。而且，他还为一个农场工作，每天能赚到三角七分钱。就这样，他慢慢积攒了50美元。他把这50美元借给了农场主，并收取七厘的利息。结果他发现：他一年所得的利息，就相当于他做10天的苦力的工钱。于是，从那天起，他就下定决心，一定要让金钱做人的奴隶，而不是被金钱所奴役。

所以，洛克菲勒尽量不让自己的子女养成坐享其成的习惯。当他在修整自己住宅的栅栏时，就让他的儿子来搬木材，每搬一根栅木就给他一分钱。那一天，他的儿子一共搬了13根栅木，因此得到一角三分的工钱。洛克菲勒又让儿子帮他修理栅栏，每小时给他一角五分钱。而孩子学习小提琴，每练习　小时也会获得五分钱的酬劳。

洛克菲勒年轻时并不喜欢读书，在中学毕业之后，在一个商业学校只待了几个月。当他到16岁时，就完全放弃了学校的功课。然而在后来，他却捐了5000万美元给芝加哥大学。

洛克菲勒也没有休闲娱乐方面的爱好，他一生没有去过一次剧院，不会跳舞，不会玩牌，不会喝酒，也不会吸烟。然而，他对宗教却一直都很有兴趣，年轻时还教过书。每顿饭前，他都要进行祈祷，他每天都坚持读一会儿《圣经》。

现在，洛克菲勒的财富正以每分钟大约100美元的速度在不断增加着，然而他唯一的愿望就是能活上一个世纪。他说，如果到了1939年7月8

日——他的100岁生日时——他还活着，那他一定要邀请一支乐队到庄园来，演奏那首《麦姬！当你我都还年轻时》。

为生命寻一盏绿灯

推销员乔瑟夫·柯特说："我并不只是活在今天，我为昨天的过失而后悔，又为明天的未知而恐惧。"他分享了自己的人生经历。

从小到大，我一直被各种烦恼所包围着。这些烦恼数量众多，种类繁杂，其中偶尔也有真的忧虑夹杂其中，但大多数时候都是一些胡乱猜想。我烦恼任何事，甚至烦恼自己是否遗漏了什么烦恼。

两年前，我开始了一种全新的生活。为此，我不得不开始对自己所有的缺点和"美德"做一个清单，以求全面地了解自己。经过这些工作之后，我发现，我所有的烦恼都起源于自己的思想。

我发现，我并不只是活在今天，我为昨天的过失而后悔，又为明天的未知而恐惧。在过去，也常有朋友对我说，今天，就是你昨天所忧愁的明天。认真过好今天就不用再担心昨天和明天。但是，这些话对我似乎并不起作用。还有些人对我说，让自己忙碌起来，就会忘却一切烦恼。这话听起来很有道理，但实际运用起来并不是那么回事，我依然被烦恼所困。

终于有一天，灵感从天而降，我的眼前出现一片光明。那是1945年5月31日的晚上7点，那是我人生中最为重要的一刻，我永远也不会忘记。

当时，"一战"还没有完全结束，车站里人山人海。我站在西北铁路车站的站台上，为一个朋友送行。看着朋友登上火车后，我沿着铁轨朝火车头的方向走去。前方是泛着金属光泽的巨大引擎，我看着它将目光移向了前方的漫长铁道。不远处，一座巨大的信号台上正亮着耀眼的黄灯。突然间，黄灯变成绿灯，火车的汽笛长鸣，乘务员高声喊道："全体上车！"在几秒钟内，巨龙般的火车轰隆隆地驶出了车站，踏上长达2300公里的征程。

突然间，我似乎醍醐灌顶，仿佛冥冥中有人给了我启示，一切顿时豁然开朗！火车司机给了我一直在寻求的答案——他只看到了一盏绿灯就开始了一段漫长的旅程，而我却希望看到一生的旅程全都是绿灯。我坐在人生的车站里，还没有登上火车，就急于了解前面的路途究竟怎么样。

火车司机并不会因为前途可能会遇到的种种障碍而忧愁，事实上，火车随时可能因种种事故而延迟，正是这样，人们才建立了信号系统——黄灯减速，慢行；红灯危险，停车。它让火车能够安全运行，是一套行之有效的系统。

从中我得到启迪，我为什么不为自己也制定一套信号系统呢？而且，这种系统也许生活本身就有，是上帝赐给我们的，我们的命运都是由他操纵的。红灯能让我休息，而绿灯则能保证我的安全。于是，我开始寻找我生命中的绿灯。

每大清晨，当我睁开眼睛，就会为新的一天祈祷，希望这天是绿灯。但我并不强求，如果遇到黄灯，我就放慢生活的节奏；如果遇到红灯，那就赶快停下来，以免发生意外。

自从我悟出这个道理，已经过去两年多了。在这700多天里，每天都有一盏绿灯为我开道，我不再为昨天和明天烦恼，不再去想下一盏灯是什么颜色。遇到什么灯就采取什么样的态度，我的人生从此变得轻松而愉快！

监狱困不住智慧的绽放

他们一生遭遇了各种的艰难险阻，但仍坚持不懈抗争到底，最终取得了胜利。

你能猜到谁是当今世界上最著名的短篇小说家吗？我想你肯定读过他的小说。在这个世界上，有这样一位作家：他的作品已经售出了600万册以上，而且被译成了世界各国的文字，包括中文、法文、德文、俄文、瑞典文、捷克文、丹麦文、挪威文、日文、世界语，等等。而且，你也一定曾经看过他的小说。他就是当今世界上最著名的短篇小说家——欧·亨利。

欧·亨利一生当中最大的遗憾，就是接受的教育太少。他从没有进过高等院校，甚至都没有见过任何一所大学。然而，他写的小说却被无数的大学奉为经典。

欧·亨利的另一个烦恼则来自于自己虚弱的身体。年轻的时候，有个医生认为他将会死于肺痨病。因此，他离开家乡前往泰塞斯草原，在那儿放羊。而在欧·亨利的大名远播天下后，连那块草地都出名了。许多游客开着汽车远道而来，就是为了小心翼翼地在那块草地上站上一站。

如果只是这样的话，他的经历还不算凄苦。然而命运对于伟人从来不会吝啬磨炼。

欧·亨利的身体恢复后，在得克萨斯州的奥斯丁银行做出纳。当时，民风淳朴，在办事人员忙得不可开交的时候，牧民们可以走进银行自行取款，需要多少钱便取多少，然后打一张收条就可以了。

然而，当监管人员前来检查库存的时候，发现钱币数目对不上。由于

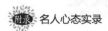

当时欧·亨利担负保管之责，于是他被捕入狱。尽管他并没有拿一分钱，但法庭依然判他入狱5年。

坐牢本来是一件让人感到耻辱的事，但对于欧·亨利和广大读者来说，这也可以说是件"幸事"。如果他不曾入狱5年，又怎能安下心来开始创作的生涯，又怎么能名垂千古呢？

我曾经和一个监狱的名叫拉维斯的典狱官聊过天。他对我说，几乎每一个待在监狱的人，都想记录下自己的一生。确实，这个监狱中的许多犯人都很想从事写作，以至于监狱学校还专门为犯人们开设了一门关于小说创作技巧的课程，以供他们自由选修。

很显然，并不是每个在监狱里写作的犯人都能够成为名人。不过，的确有不少著名的人物都曾经在监狱中从事过写作，罗利爵士也是其中的一位。

瓦尔特·罗利爵士曾经是一个有名的花花公子，他脚上戴着钻石，耳朵上戴着珍珠。有一次，他把自己名贵的斗篷扔在泥洼地上，让伊丽莎白女王践踏而过，以免弄脏了她的鞋。就是这样一个阿谀之臣，都在狱里从事写作。

由于政治原因，他被囚禁在牢中长达14年。他住的那个监牢，既狭小又肮脏，阴暗潮湿的环境让他患了严重的风湿病，手脚都变得有些僵硬。但他承受着这一切痛苦，完成了一部伟大的《世界史》。此书至今仍是许多大学和专科院校的教科书。

他始终相信自己可以做到

年仅14岁的博克，已经结识了美国许多伟大的人物，他始终相信自己

可以做到任何事。

一天，一个小孩放学回家，在经过一个面包店时，饥饿的他不由停住了脚步，注视着橱窗里诱人的热圆饼和鸡蛋糕。

面包师从店里走出来对他说道："很好看，是吧？"

这个流浪到美国的荷兰小孩回答："如果窗子再干净点，就更好看了。"那个面包师说："哦，这样啊，那你能帮我把窗户擦干净吗？"

这就是爱德华·博克所做的第一份工作。虽然当时他每星期仅能挣到五角钱，但这些钱对他来说，已是一笔不小的财富。因为当时他的家庭可以说是家徒四壁，他每天都要提着个小筐到路边去捡拾那些从拉煤车上掉落下来的碎煤。

博克刚到美国时，还不会说英语，在课堂上也听不懂老师在说什么。他一生在学校中受教育的时间加起来还不到6年，然而，后来他却成为美国新闻史上最成功的杂志编辑之一。

他说自己几乎完全不懂妇女们真正想看的是什么，然而他却创办了世界上最大的妇女杂志，并且把杂志办得非常成功。在他退休的那个月，那份杂志卖出去了约200万册，每期封面上单页广告的收费高达100万元。

博克在《妇女家庭杂志》的编辑岗位上工作了30年。在他退休之后，他将自己一生的经历写成了一本书，名为《爱德华·博克在美国的经历》。在给面包店擦过窗户之后，博克又拿出像集邮爱好者收集绝版邮票时的狂热劲去寻找工作。他在星期六的早晨出去卖报；星期六下午和星期天，他向那些坐马车旅行的客人们兜售冰水和柠檬水；到了晚上，他就为报社写各处举行的生日宴会以及茶会的新闻报道。他每星期大约能够赚到10至20元，这完全是他在课余时间的工作收入。当时他只有12岁，到美国才6年时间。

在13岁时，博克辍学了。他成了西联电报公司的一名办公室清洁工，但他仍然想着读书。于是他开始了自学历程：把车费和饭钱节省下来，直到够买一部《美国名人传记全书》。在读完许多名人的生活纪事之后，他

做了一件从来没有人做过的事，写信给那些名人们，请他们再给自己多讲一些关于他们童年的经历。

他写信给后来当选为美国总统的加菲尔德将军，问他小时候是否曾经在运河上做过纤夫；他写信给格兰特将军，询问某次战争的详细情形。于是，格兰特在回信中为他画了一张军事地图，详加解说他所提出的问题，并且还邀请了这个14岁的小孩前来和他共进晚餐，彻夜长谈。

这个在电报公司办公室打扫卫生，每周只赚6元2角5分钱的小孩，就是通过这种方法，在短短的时间内结识了当时的众多名人。他曾拜访过杰出的诗人爱默生、宗教家布鲁克斯、名作家霍姆斯、诗人朗费罗、林肯夫人、女性小说家奥尔科特（《小妇人》的作者）、舍曼将军和名演员约瑟芬·杰斐逊。他在与这些名人的接触当中学到了自信、眼界和雄心壮志，而这些全部都是无价之宝。

一天，他在街上看见一个人打开一盒香烟，把香烟中附赠的一张人物图片取出来后，随手揉成一团，扔在地上。爱德华·博克时刻都在寻找与名人通信的机会，因此，他捡起那张照片仔细端详了一番。那是一位政治家的照片，但是在照片的背面并没有附上这个政治家的名字和一些简要的介绍。博克想："如果在这张小纸片上写上这位名人的小传，它大概就不会被人随便扔掉了。"

博克想到这里，心中有了个想法。第二天吃完中饭后，他就找到了印制那张图片的公司。他想方设法见到了那里的负责人，并且谈了谈自己的想法。他极其诚恳、热切地向他讲述了这项工作的必要性。结果，在临走之前，他得到了一个合同，为这些名人图片写不超过100字的小传，每个小传他可得到10元的报酬，也就是说一个字一角钱。不久之后，他便被委托写更多的名人小传，以至于他根本忙不过来。于是，他就找了几个人来帮忙，每个传记给别人五元的报酬——他自己则从中赚一半。后来，他辞掉了电报公司的打扫工作，开始专心从事印刷事业。

在他去接手费城《妇女家庭杂志》的编辑工作时，只有26岁，一直工作到56岁，这正是人生的黄金时期。他最后一次关上抽屉，然后说："我不干了。"在这30年的时间里，他在美国新闻界为自己奠定了举足轻重的地位。当然，他也赚了很多的钱，然而一个人的成功并不能仅用物质来衡量。下面就让我们来看看，爱德华·博克对于普通人都做过什么重大的贡献。

我们先从你每天所吃的食物说起。由于他大声疾呼制定食物清洁的法规，所以，现在人们吃的东西更卫生和便宜了。现在你居住的城市与以往相比，毫无疑问干净了很多，这是因为他曾拼命抨击当时城市中随处可见的、污秽不堪的垃圾堆。

现在，你们住的房屋与以前相比，要更美观、更适宜居住了，这是因为他曾强烈批评过维多利亚时代那些丑陋的建筑。当时的房屋过于讲求装饰而显得杂乱无章，而且价格也非常昂贵。博克第一个带头聘请最好的建筑师、设计师，来设计价廉物美的住房。在这件事情上，他获得了巨大的成功。因此，罗斯福总统曾对他说道："对美国的建筑有重大贡献者，除了爱德华·博克外别无他人。"

从他退休直到去世的10年时间里，他着手于绿化环境的运动。他从祖国荷兰运来许多树苗，种植在街道两旁，使人看了赏心悦目。他还提倡，在所有的铁路车站种上好看的玫瑰花。

但他的最为著名且最为永久的纪念物，则是位于佛罗里达州的神奇的"鸟鸣塔"。起初那里只是一片不毛之地，如今却变成了绿树成荫、百鸟鸣啼的天堂。在树林中矗立着一座用粉红色的大理石砌成的钟楼，它有200英尺高。在阳光的照耀下，它的影子倒映在平滑如镜的湖面上，非常美丽。